広布史(こうふし)たんけんたい

少年少女きぼう新聞編集部 編

第三文明社

『広布史たんけんたい』 もくじ

第1章 池田先生のはげまし

第2章 世界に広がる友好の輪

第3章 みんなで学ぶ学会の歩み

一、本書は、「少年少女きぼう新聞」に掲載された「広布史たんけんたい」（2020年1月～23年3月）、「なるほどSOKA」（2023年7月、9月）を、加筆・修正し再構成したものです。省略した回も一部あります。

一、編集部による注は、（　）内に記しました。

一、御書の引用は、『日蓮大聖人御書全集　新版』（創価学会）に基づき、ページ数は『日蓮大聖人御書全集　新版』と『日蓮大聖人御書全集』（創価学会版、278刷）のページ数を、（新版〇〇ページ、全集〇〇ページ）と記しました。

文・ひがししんぺい／絵・間瀬健治　ブックデザイン・村上ゆみ子

第1章

池田先生のはげまし

少年少女部への思い
みなさんに未来をたくしたい

池田先生はある会合で、お父さんを亡くしたメンバーに「私を父と思って、がんばりなさい」とはげましました

池田大作先生は、少年少女部へのメッセージで、こう語っています。

「私は、未来をたくしゆく宝のみなさん一人ひとりと心のあく手を固く交わす思いで、すべてを見守っております」

少年少女部は、池田先生の提案で1965年に「少年部」として誕生しました。

創価学会の使命は、世界を平和に、全人類を幸福にしていくことです。それは、100年、200年という長い時間をかけた挑戦です。

だからこそ、池田先生は無限の可能性をもった少年少女に〝正義のバトン〟をたくすため、少年少女部をつくりました。

日本でも世界でも、どこに行っても先生は、少年少女部のメンバーとの出会いを大切にしてきました。

たくさんの少年少女たちが、池田先生のはげましを原点に、困難を乗りこえ、それぞれの使命の舞台に羽ばたいていったのです。

未来をたくすみんなのために、ありとあらゆる道を開いておこう。これが、池田先生の思いでした。

ようち園から小、中、高等学校、大学、大学院までの創価一貫教育もつくりました。アメリカ創価大学をはじめ、世界にもようち園や学校をつくりました。

世界中の指導者たちと友情を結んで「平和の橋」「信らいの橋」をかけてきました。最高ほうの知性の人たちと語り合い、何十冊もの対談集を残してきました。

全12巻の小説『人間革命』と、全30巻の小説『新・人間革命』も書きつづりました。

何もかも、すべて未来をたくすみんなのためです。

かつて、未来部のメンバーが集った会合で、池田先生はスピーチしました。

「力をつけ、成長したみなさんが、またみなさんの後はいが、全地球を舞台に、どれほどすばらしい活やくをされていることか——。その光景を思いえがくとき、私の胸はおどる」

「心配はいらない。諸君はみな、かけがえのない使命をもって生まれた。立派な、最高の人生を送れないはずがない。幸福なかがやく一生になれないはずがない」

将来は、多くの人が長生きするようになり、100歳まで生きるのが当たり前の時代が来るといわれています。21世紀が終わり、次の22世紀が始まるころ、少年少女部のみんなは、ちょうど100歳に近い年れいになっていることでしょう。

どんな悩みも、苦しみも、悲しみも、すべてを勝ちこえていく力が南無妙法蓮華経です。自分だけの使命の花をさかせていく力が南無妙法蓮華経です。

池田先生が開いた21世紀の舞台で思う存分に活やくできるよう、今は「友情」を大切に、しっかり「本」を読み、「負けない心」で進んでいきましょう。

そして、世界を平和に、全人類を幸福にしていく〝正義のバトン〟を、22世紀の少年少女部にわたしてください。

少年少女部の合唱団

負けない心を燃やして

〝一流の人物にふれてほしい〟と、合唱団に、世界の指導者と接する機会をつくってきました

創価学会があらゆる難を勝ちこえて、世界に広がったのはなぜでしょう。池田先生は、「その大きな力の一つは、どんなときも、みんなで胸を張って、歌を歌ってきたことです」と語っています。

歌には不思議な力があります。歌に乗った言葉は、歌う人の心も、聞く人の心も動かしていきます。

池田先生は、たくさんの歌を作り、ある時はピアノをひき、ある時は舞を舞うように歌の指揮をとって、日本中、世界中の学会員をはげましてきました。

少年少女部にも、合唱団があります。1965年9月に今の少年少女部が「少年部」として結成された後、11月には池田先生が「少年部に合唱団をつくってはどうか」と提案しました。

こうして次の年の5月に、「富士少年合唱団」と「希望少女合唱団」が誕生したのです。池田先生は、「21世紀の日本の将来、世界の平和は、皆さんに期待しています。立派に成長してください」との言葉をおくりました。

その後、全国各地の少年少女部にも、合唱団がつくられていきました。

どうすれば、聞く人の心に、思いを届けることができるか。どうすれば、美しい歌声のハーモニーをつくっていけるか。合唱団では、題目を根本に、一人一人が「負けない心」を燃やしながら、仲間といっしょに成長してきました。

これまで、合唱祭など、さまざまなおりに、池田先生は合唱団のメンバーをはげましてきました。

先生が世界各国のお客さまと会う時にも、少年少女部の合唱団が歌を歌って、先生といっしょにお客さまを出むかえたり、お見送りしたりしてきました。

また、池田先生が見守る中、アメリカSGIのメンバーである世界最高ほうのジャズ・ミュージシャンたちと文化祭のステージに立ったこともありました。

先生は〝私の世界の友人たちが、何より感動されるのは皆さんの歌声です〟と語られました。

池田先生のもとには、全国の少年少女部合唱団から届けられたCD（音楽を記録したもの）があり、先生はその歌声を聞くことをいつも楽しみにしていました。

合唱団の結成50周年となった2016年。池田先生は、全国各地の「少年少女きぼう合唱祭」にメッセージをおくりました。

「皆さんの歌声こそが、世界の友に、希望をおくり、友情を広げる力なのです。私の生命であり、かけがえのない宝である皆さん！　思うようにいかないことや、嫌なことがあろうとも、『Be Brave！　負けない心を燃やして』と歌いながら、乗り越え、勝ち越えていってください」

このメッセージにあるとおり、「負けない心」を燃やして、歌声をひびかせていきましょう。

そして、合唱団の仲間たちと、一生涯の友情を深めていってください。

少年少女希望絵画展

平和をつくる心を育てたい

ワイルドスミスさんとともに作った絵本は、英語、スペイン語などにほん訳され、世界で愛されています

1994年2月。東南アジアのタイ王国の首都バンコクにある名門タマサート大学で「世界の少年少女絵画展」が開かれました。

開幕式には、タイ王国のガラヤニ王女がご出席になり、池田先生が見守る中でテープカットをされました。王女は先生の案内で、日本やタイなど世界各国の少年少女たちのかいた絵を、一つ一つごらんになりました。

池田先生は「国の将来を担う少年少女たちこそ『未来』そのものであり、人類の『希望』であると語りました。

少年少女部（当時は少年部）の「絵画展」が初めて開かれたのは、1985年のことです。部結成20周年を記念して開さいされました。

神奈川県横浜市にある戸田平和記念館が会場となった第4回の「絵画

展」には、全国から2万5000点の応募がありました。

池田先生も会場に足を運び、入選した少年少女部員たちの作品を「すごいね！」「上手だね！」と、たたえながら鑑賞しました。

◆◆◆

若き日の池田先生は、恩師である戸田城聖先生が経営する会社で、子ども向けの雑誌を作っていたこともあります。

戦争が終わって間もないころです。少年少女たちが、未来に向かって少しでも明るい希望を持てるようにしたい。先生は、有名な作家や画家のところへ行って、一生けんめいにお願いをし、作品をかいてもらいました。

「子どもたちに、美しい世界を見せたい。心に〝よき種〟を植えてあげたい」

これが、池田先生の変わらない思いでした。

池田先生が少年少女のために書いた童話のうち、『雪ぐにの王子さま』『お月さまと王女』『さくらの木』『青い海と少年』には、イギリスの絵本画家のブライアン・ワイルドスミスさんが絵をかいてくれました。

ワイルドスミスさんは、その美しい色使いから〝色彩の魔術師〟とたたえられていた、世界最高ほうの絵本画家です。大切な少年少女たちに、美しいものを届けたいという、池田先生とワイルドスミスさんの真心がひびき合ったのです。

◆◆◆

ある世界的なアーティストは、こう語っています。

「美しい風景や絵を見て、〝美しい〟と感じられるのは、なぜか。それは、すべての人の心にアートがそなわっているからなのです」（宮島達男著『芸術論』〈アートダイバー〉より）

絵が上手な人も、自分ではあまり得意じゃないと思っている人もいるでしょう。けれども、何かを見て〝美しい〟と感じられるのは、あなたの中に、アートが、ちゃんとそなわっている証拠です。

その心が、人を思いやり、すべての命を大切にし、平和な世界をつくっていく力になっていくのです。

池田先生が「少年少女希望絵画展」を大切にしてきたのも、美しい絵本をたくさん作ってきたのも、みんなの中にある〝平和を生み出す力〟を、豊かに育んであげたいと願っているからなのです。

作文コンクール

言葉の才能をみがいてほしい

井上靖さんは〝子どもたちは、大人の詩人もおよばないほどの、するどい感性を持っている〟と語りました

何かを感じたり、考えたりする時、実は頭の中で「言葉」が大きな役割を果たしています。

豊かな「言葉」を身につけ、自由に使える訓練をしていった人は、心の動きにびん感になり、物事を深く考えぬけるようになります。

また「言葉」には、人と人を結び合わせていく力があります。自分の真心を相手に届けるのも「言葉」です。だれかに勇気をふるい起こさせるのも「言葉」です。

まちがったことをしている人に、正しい道はこちらだよと気づかせるのも「言葉」です。

「言葉」には、人々を幸福にみちびいていく力があるのです。

日蓮大聖人の御書の中にも「仏は文字によって人々を救っていくのです」（新版762ページ、全集153ページ、意味）ということが書かれています。大聖人が残された、文章やお手紙はたいへん多く、じつに2000ページをこす『日蓮大聖人御書全集 新版』としてまとめられていますが、その一つ一つの「言葉」も、人々に生きる勇気をおくり、幸福にみちびくために書かれたのです。

◆◆◆

ある時、池田先生は未来部の代表メンバーに語りました。

「民衆を守り、幸福にするために、みんな、しっかり勉強してほしい。私は、このなかから、大文学者や大科学者、大記者、また、偉大な政治家も、どんどん出てもらいたい」

この池田先生の思いを受けて生まれたのが、「作文コンクール」です。スポーツでも、試合や競技大会で競い合っていく中で、才能がみがかれていきます。自分が人に伝えたいことを、自分で文章につづる。その「言葉」の才能を、少年少女部のみんなにみがいてほしい。こうした思いから1970年に「作文コンクール」は生まれたのでした。

池田先生は、少年時代からたくさんの本を読み、詩や文章をつづって「言葉」の力をみがいてきました。小説、詩、ずい筆、和歌、対談、スピーチなど、池田先生の「言葉」にふれて、世界中の何百万という人々が、立ち上がり、負けない人生を歩んでくることができました。

◆◆◆

先生はまた、世界中の大作家たちと深い友情を結んできました。その中の一人に、日本を代表する作家だった井上靖さんがいます。みんなの中にも、井上さんの書いた小説『しろばんば』を読んだ人がいるかもしれません。

池田先生と井上さんは何度も語り合い、さらに1年間にわたって手紙を交わし合いました。手紙はまとめられ、『四季の雁書』という本になっています。「言葉」を交わし合うことで、先生と井上さんの友情は、さらに深まっていったのです。

池田先生は創価学園生に、こう語っています。

「〈読む力〉は〈書く力〉にもつながっていく。文章力といっても、読書に取り組むという努力があってこそ、おのずとみがかれていくものです」

みんなも、読書と作文に挑戦して、読む力、書く力をみがいていきましょう。

子どもたちとの出会いを大切に
「未来の主役」は君たち！

池田先生は、いつもみなさんのことを見守っています。なやみに負けない心をみがいていきましょう！

創価学会の初代会長である牧口常三郎先生は、いくつもの小学校の校長を務めた教育者でした。

「子どもたちの幸福のために」――これが牧口先生の教育の信念でした。

第２代会長の戸田城聖先生も小学校の教師をしていました。その後は学習じゅくを開き、子どものための雑誌や参考書をいくつも発刊してきました。

戸田先生は常にこう語っていました。

「子どもは未来の宝だ。未来からの使者だと思って大事にしなさい」

池田先生は、19歳で戸田先生に初めて出会います。子どものことが大好きな池田先生は、戸田先生の出版社に勤めると、少年雑誌の編集長を任されました。

第３代会長になった池田先生は、人類の幸せと世界平和へのバトンをたくすため、高等部、中等部、少年少女部の「未来部」を結成したのです。

池田先生は、日本のすみずみまで、そして世界各国を回る中で、いつも少年少女との出会いを大切にしてきました。

外国訪問では、その国のリーダーとの会見や、大学での講演、さまざまな行事への出席など、朝から晩まで予定がビッシリです。

そんな中でも、先生は未来部メンバーをはげます時間をつくってきました。いっしゅんの出会いものがさず、語りかけ、あく手をし、記念写真におさまりました。

どうか人類の未来をよろしくお願いします——先生はそんな思いで、小さな子どもに向かって、ぼうしをぬいで、深々とおじぎをするのでした。

相手が学会の未来部員であっても、そうでない場合でも、先生は変わらない姿で、子どもたちにはげましをおくりました。

ネパール・ヒマラヤのふもとの小さな村で、たまたま出会った少年少女たちには、偉大なヒマラヤを見て育った仏陀のことを伝え、「みなさんも同じです」「必ず、偉い人になれるんです」と、語りかけました。

池田先生は、こうつづっています。

「私たちは、30年、50年先の広宣流布（仏法をひろめること）の大勝利を確信して、『今』を力強く戦うことができる。

なぜか——。

私たちには、後継の未来部がいるからだ。人間主義の平和の世界の大建設を受け継いでくれる、君たちがいるからだ」

「愛する未来部よ！

わが宝の生命よ！

栄光の創立100周年の誇り高き主役は、まぎれもなく君たちである」

平和のために行動を続けてきた池田先生の心には、いつも、未来を担う子どもたちへの信頼と尊敬がありました。

池田先生の「宝の生命」であるみんなは、一人も残らず偉大な使命を持っています。

創価学会創立100周年の2030年。そして、学会創立100周年から200周年（2130年）への、晴れやかな大行進をしていくのが、少年少女部のみんななのです。

和歌や詩の言葉にたくして 師子王の心を届けたい

はげましの言葉をつづってきた池田先生。その言葉を胸に、多くの学会員が立ち上がったのです

池田先生は、こうつづっています。

「たった一つの言葉にも、人生を変える力がある」

「言葉の力は、心で決まる」

なんとしても、この人に幸せになってもらいたい。負けない人生を歩んでもらいたい――。池田先生はいつも、そういう心で人々に接してきました。


日本中を、世界各国を回りながら、何百人、何千人もの人が集まる会合でスピーチをし、世界のリーダーたちと語り合い、本や小説の原こうを書く。１年３６５日、休むひまもなく、朝から晩まで、先生のスケジュールはつまっていました。

だれと会う時も、先生は常に「もう、この人とは二度と会えないかもしれない」という思いで、真心をこめ、真けん勝負ではげましてきました。

言葉を交わし、手をふり、あく手をし、時には記念写真をとり、いっしゅんの出会いを大切にしてきました。

◇◇◇

それでも、もっともっと多くの人に〝はげまし〟を届けたい。先生は、いそがしい時間をぬうように、ある人には和歌をよんでおくり、ある人には色紙や本に言葉をつづり、ある人には伝言を届けました。

これまで先生がよんだ詩は、およそ600。すべて合わせると、14万5000行をこえます。

未来部のメンバーにも、池田先生はたくさんの詩や言葉をおくってきました。

人一倍の　勉強と努力を
未来のために　忘れざることを祈り
つつ

＊

来年の君を
僕は見たい
十年先の君の姿を
僕は　信ずる
君よ　自信に満ちて
今日もただ　君らしく
励みゆくことだ

（『池田大作全集 第38巻』所収、『わが友へ』「青春・使命」より）

だれもが、その人にしか果たせない、尊い使命を持って生まれてきたのです。たとえ、どんな悲しみや苦しみがあっても、必ず勝ちこえて幸福になっていける「王者の力」が、人間の中にはあるのです。

だからこそ、池田先生はだれ一人負けないように、師子王の心を届ける思いで、ペンを走らせてきました。

◇◇◇

人々の幸せのため、平和のために、「言葉」「詩」を武器として戦ってきた池田先生。先生の詩にふれ、先生の行動を知って、「詩には、こんなにも世界を変えていく力があるのか！」と勇気づけられたのは、世界各国の詩人たちでした。

1981年、詩人たちの集まりである世界芸術文化アカデミーは、池田先生に「桂冠詩人」の称号をおくりました。「桂冠詩人」とは何百年も前から、世界最高ほうの詩人におくられてきた称号です。

池田先生は「桂冠詩人」として、外国の国王や大統領にも、たくさんの詩をおくっています。

カメラで残すいっしゅんのかがやき

人々の心に呼びかける写真

展覧会のほか、聖教新聞でもけいさいされる池田先生の写真は、多くの人の心にはげましをおくっています

それは、1970年ごろのことです。池田先生は体調をくずしていましたが、それでも休めない日々をすごしていました。

そのことを聞いたある人が、「少しでも先生の気分転かんになれば」との真心で、カメラをおくってくれたのです。

そのころのカメラは、今のようにシャッターボタンをおせば、自動で光の具合やピントが合うというものではありません。いろいろと、調整が難しいのです。

それでも、真心には、真心で応えたい。いい写真が撮れたら、それをお届けしたいと、先生はいそがしい時間の中で、カメラの練習を始めました。

ある日の夜、北海道で、湖の近くを車で走っていた先生の前に、美しい月が現れました。

　月が大好きな先生は、夢中でシャッターを切りました。それ以来、各地をめぐる日々の中で、月の写真をたくさん撮るようになりました。

◆◆◆

　やがて先生は、さまざまな景色にもカメラを向けます。

　日本中、世界中をめぐる〝はげましの旅〟の中で、車から見えたいっしゅんの景色。外国の美しい家並み。風がふきわたる田畑。山々の向こうにそびえる富士山。イギリスのウィンザー城の前に続く一本のまっすぐな道——。

　同じ景色には、もう二度と出合えない。このいっしゅんのかがやきを、友と分かち合い、はげましをおくりたい。そうした心で、シャッターを切っていったのです。

　石ころも、電線も、マンホールのふたも、道ばたの草も、先生の撮る写真の中では、すべてがありのまま、まるで背すじを伸ばして歌っているようです。オーケストラのように、自分たちの音色を喜び奏でています。

◆◆◆

　池田先生が撮った写真の展覧会は、これまで世界各国の美術館や大学などで、開かれてきました。

　訪れる人々はだれもが、「自分たちはこんなにも美しい星に生きていたのか」「自然はなんと美しいのか」「日々の景色がこんなにかがやいていたことに気づかなかった」と、心をふるわせました。

　今はスマートフォンなどで、だれもがいつでも写真を撮れる時代です。先生はその何十年も前から、「写真は万人にひらかれた芸術だ」と語ってきました。

　写真は、シャッターをおせばだれでも、撮ることができます。

　どんな人の中にも、何かを見て〝美しいな〟と感じられる心があるのです。池田先生の撮った写真にふれて、人々は自然の美しさだけでなく、自分の心の中にも美しい何かがあることに気づくのです。

　池田先生には、オーストリア芸術家協会から「名誉会員」「在外会員」、シンガポール写真家協会から外国人として初めての「終身名誉会員」、マレーシア写真協会から「上級名誉会員」の称号などがおくられています。

先生のもとから出発！　本部幹部会
学会伝統の前進のリズム

毎回の「本部幹部会」を目指して、学会の同志はそれぞれの目標に挑戦してきました

創価学会の大切な行事の一つに「本部幹部会」があります。始まりは、初代会長・牧口常三郎先生、第2代会長・戸田城聖先生の時代でした。毎月、代表の幹部（リーダー）が集って開かれていたのです。

池田先生が第3代会長になってからも、この「本部幹部会」は学会の伝統として受け継がれました。今のように学会の大きな会館がほとんどなかった時代は、台東体育館や日大講堂、日本武道館などで「本部幹部会」が開かれていました。

毎月、池田先生のもとに全国の代表が集まり、先生の話を聞き、先生と心を合わせて、それぞれの地域で、人々の幸福と平和のために行動していくのです。学会は毎回の「本部幹部会」のリズムとともに発展してきました。

1989年には、人工衛星を使った通信システムで、全国の会館でも「本部幹部会」が見られるようになりました。やがてインターネットを使って配信されるようになります。

それまで限られた人数しか参加できなかった「本部幹部会」に、何百万人もの人が参加できるようになりました。学会の人にさそわれて「本部幹部会」の放映に参加し、学会に入会を希望する人も増えたのです。

さらに、世界の大学から池田先生をたたえて名誉学術称号がおくられる式典なども「本部幹部会」の前後で行われることが増えました。

言葉も文化も宗教もちがう国々から、池田先生を心から尊敬する、世界最高ほうの英知の人々がやってくるのです。その光景を見た未来部員の中には、猛勉強をして、それらの大学や国に留学し、世界に羽ばたいていった人も大勢います。

日本中、世界中の学会員が、一人も残らず幸福になり、勇気と希望を持てるように――池田先生は、1回1回の「本部幹部会」に、全力を注いできました。

スピーチも、ある時は、みんながリラックスできるようにユーモアたっぷりに。ある時は、真けんな厳しいまなざしで。

外国からのお客さまをむかえた時は、その国の詩や文学、音楽にふれながら。また、ある時は、歴史上の英ゆうや、偉大なリーダーたちの話を通して。

宗教は、人間を強くし、かしこくし、心豊かにしていくためにある――これが、池田先生のゆるぎない信念だったからです。

みんなが少しでも喜び、元気になってくれるならばと、学会歌の指揮をとることもありました。

そして退場する時は、会場に集まった全国の代表、世界各国のＳＧＩメンバーたちに、師匠である池田先生の方から、「ありがとう」「お元気で」「ご家族によろしく」と声をかけ、深々とおじぎをするのでした。

池田先生はつづりました。

「リズムある活動には、力がわく。希望がある。持続がある」

先生とともに、勝利のリズムをつくりながら、着実に前進していきましょう。

留学生は各国の未来のリーダー
友情こそ、世界平和の源

みなさんも、池田先生と同じように留学生を大切にして、信じ合える友だちになってください

自分の国を出て、外国の学校などで勉強することを、「留学」といいます。

１５０年ほど前に、日本が近代化できたのは、大勢の若者たちがアメリカやヨーロッパに留学して、社会の新しい仕組みや技術を学んで帰ってきたからでした。

池田先生が友情を結んできた世界各国のリーダーの中にも、若い時に外国に留学していた人がたくさんいます。

ノーベル平和賞を受けたケニアのワンガリ・マータイさんは、アメリカに。中国の周恩来総理は若き日に、日本に留学した経験があります。

池田先生は、こう語っています。

「留学生は、各国の未来の指導者である。留学生を大事にすることは、その国の未来を大事にすることである。留学生と友情を結ぶことは、世界に友情を広げることである」

創価大学を創立した池田先生は、海外の名門大学との交流の道をひらいてきました。

これまでたくさんの創価大学生が、世界のさまざまな大学に留学しています。また、世界各国の学生が留学先として創価大学を選び、学んでいるのです。

今、創価大学は、外国人学生の割合や留学する日本人学生の割合、外国語で行われている授業の割合などの「国際性」で、日本でもトップクラスの大学になっています。

池田先生が創立したアメリカ創価大学も、多くの留学生を受け入れています。

アメリカ創価大学では、すべての学生が大学4年間で、自分の国の言葉と異なる言語を学びます。そして、その言語が使われている国の大学に留学することになっています。

みなさんも、いつか留学生とともに学ぶ機会があることでしょう。学生時代に、いろんな国の人たちとふれあい、おたがいの文化のちがいを理解し合う。そこで生まれた一生の友情は、世界平和の大きな力になっていくにちがいありません。

「留学生の方々は、その国の宝であり、世界の大学のなかから、わが創価大学を選んでくださった大切なお客様です」

池田先生はそう語って、創価大学に来た留学生たちに、いつも真心をつくしてきました。

困っていることはないか。おなかをすかせていないか。さびしい思いをしていないか。ちゃんと勉強ができているか。入学式や卒業式、大学祭などで大学を訪問するたびに、留学生の代表を呼んで、はげましてきました。

留学生たちが住む寮におかしを届けたこともあります。お正月に寮でさびしくすごしていると聞いて、東京ディズニーランドに招待したこともありました。

創価大学で学んだ各国の留学生の中からは、やがてそれぞれの国のリーダーや、日本との友好のために働く人がたくさん出ています。

みなさんも、ぜひ世界に羽ばたいて、大きく友情を広げていってください。

真心のピアノ演奏
心にひびく希望の音色

池田先生が奏でるピアノの音色には、大きなはげましの思いがこめられているのです

音楽は不思議です。音楽はいっしゅんで、人の心にひびいていきます。

国や言葉がちがっても、文化がちがっても、時代がちがっても、音楽は人の心を動かし、人と人を結び合わせることができます。

喜びと勇気、平和の心と希望を生み出していく。人の心を明るくし、温めていく。それが音楽の力です。

だから、池田先生は音楽を大切にしてきました。創価学会に音楽隊をつくろうと提案したのも池田先生です。民音（民主音楽協会）を創立したのも先生です。

全国各地の学会の音楽隊や鼓笛隊は、吹奏楽やマーチングバンド、合唱のコンクールで、何度も日本一にかがやく実力になりました。民音は、各国の音楽文化を結ぶ世界有数の団体になっています。

また、池田先生は、さまざまなおりにピアノをひいてきました。

ある時は、訪れた海外の国で歌やおどりをひろうしてくれた子どもたちに、〝お礼に〟と「さくら」「春が来た」など日本の曲を演奏しました。

ある時は、創価大学生や創価学園生たちとの記念の集いで、力強くピアノを奏でました。

ある時は、学会の会合で、スピーチを終えてからピアノに向かいました。

時に音楽は、言葉で伝えるよりも多くの気持ちを伝えることができます。

一人でも多くの人をはげましたい。一つでも思い出を残してあげたい。先生は、いつもそのことを考えていました。

全国各地の何万という会場で、女性たちの会合が開かれた時には、メッセージとともに、ピアノの演奏をろく音して届けたこともあります。

「みなさん方が少しでも喜んでいただければと思いまして、大変に下手ではありますけれども、私のピアノを真心としてひかせていただきます」

そう語ってから、「荒城の月」「うれしいひなまつり」「夕焼小焼」などの曲を、力強くも優しく演奏したのでした。

先生の少年時代は、戦争の時代でした。先生はピアノを習ったり、音楽の特別な教育を受けたりしたことはありません。

それでも、みんなが喜ぶならばと、いそがしい時間の中で、奥様からピアノを教わりました。そして、人々をはげましたいという思いで、わずかな時間を見つけては練習してきたのでした。

日本中、世界中を回る中で、「がんばれ！」「幸せになるんだよ！」「負けるな！」という思いをこめて、ピアノを奏でてきたのです。

先生がピアノで音を出しながら、音楽家たちといっしょに学会歌の作曲をしたこともありました。

池田先生は、音楽の力を信じ、音楽を大切にして、音楽の力で、一人一人の心を強くし、平和への道を開いてきました。

全国、全世界の少年少女部員の成長を思いえがきながら、先生はみんなに届けと、ピアノに向かってきたのです。

歴史に残る偉人たち
負けない人生を歩もう

創価大学の本部棟に立つ、レオナルド・ダ・ビンチの像。たくさんの分野で活やくした偉人です

池田先生の師匠である第２代会長の戸田城聖先生は、いつも青年たちに語っていました。

「広々とした心の人間になるために、偉人伝など歴史の本を読みなさい」

偉大な文学者、音楽家、芸術家、科学者、社会や国のリーダーなど、人類の歴史には〝偉人〟として知られている人物がたくさんいます。

偉人たちの人生を学ぶことで〝人間はこんなにも大きな力を持っているのか〟と知ることができます。

池田先生もまた、偉人たちのことを、原こうに書いたり、世界のリーダーたちと語り合ったりしてきました。スピーチなどを通して偉人たちの生き方や考え方を教えてくれたことも何度もあります。

ナポレオン、アレキサンダー大王、ゲーテ、トルストイ、ガリレオ・ガリレイ、ナイチンゲール、レオナルド・ダ・ビンチ、ダンテ、ベートーベン、マリー・キュリー、エジソン、アインシュタイン、チャップリン、ユゴー、ホイットマン……。みんなの知っている名前はいくつありますか。

◆◆◆

池田先生はダ・ビンチを通して、〝なやみがなければ、どんな才能も完成することはありません〟と教えられています。

〝偉人〟と呼ばれるような人たちはみんな、苦労をしています。お父さんやお母さんがいなかったり、貧しくて思うように学校に行けなかったり、体が弱かったり、いじめられたり、悪口を言われたりしています。そうした苦しみを乗りこえて、偉大な仕事を残してきたのです。

ある時、池田先生は、お母さんを亡くした未来部員にこう語りました。

「人生には、必ず、こえなければならない山がある。それが、早いか、おそいかだけなんだよ。

深い悲しみをかかえ、大きななやみに苦しみながら、それに打ち勝ってこそ、偉大な人になれる。偉人は、みんなそうだ。

だから、君も、絶対に負けずにがんばるんだ」

◆◆◆

池田先生が創立した創価大学には、偉人たちの像がたくさんあります。本部棟にはダ・ビンチ像、池田記念講堂にはユゴー、トルストイ、ホイットマンの像、さらにタゴールやナワイーの像、創価女子短期大学にはマリー・キュリー像もあります。またアメリカ創価大学にはガンジーの像があります。

人類の偉大な〝先ぱい〟たちに思いをはせながら、自分もまた偉大な人生を歩む人であってもらいたい。池田先生はそういうはげましの思いで、偉人たちの像を設置し、偉人たちのことを語ってきたのでした。

先生は語っています。

「本当に偉大な人物が出る時は、多くの場合、社会が大きく乱れている時である」

コロナウイルスのような感染症が、また世界中で流行するかもしれません。戦争や、大きな地震などの災害が起きることもあるかもしれません。そうした時こそ、みんなは負けない心を燃やして、自分らしく、偉大な人になっていってください。

学会歌の指揮

戦う勇気を持ってもらいたい

学会の同志は、池田先生の指揮からはげましを受け、大きなエネルギーにして、前進してきました

それは、戸田城聖先生が創価学会の第2代会長になった日のことでした。

〝さあ、この世から不幸や悲しみをなくすため、私は出発するぞ〟

戸田先生の心には、深く決意が燃え上がっていました。

式典の最後は、学会歌の合唱です。戸田先生はスーツの上着をぬぐと、力強く指揮をとりました。

「学会歌の指揮は気迫である」

戸田先生は、こう青年たちに言いました。

歌うみんなが、勇気と希望を持てるように。心がパッと切り替わり、前に進もうと決意できるように――。学会歌の指揮をとる時は、そういう強い気持ちが大事なのだと教えたのです。

第3代会長になった池田先生も、

師匠の心を受け継いで、学会歌を大切にしてきました。

池田先生みずから、新しい学会歌をたくさん作ってきました。未来部歌「正義の走者」も、先生が作詞した歌の一つです。

◆◆◆

人のため、社会のために、一生けんめいに活動している学会員の方々を、なんとしてもはげましたい。私といっしょに戦う勇気を持ってもらいたい――。

池田先生は、さまざまな会合で学会歌の指揮をとってきました。金のせんすを手に持って、まるで大きく舞を舞うような、ゆうがで力強い指揮です。

何千人、時には1万人をこえる参加者の歌声が、先生の指揮に合わせて、ピタリと一つになり、会場にひびきわたりました。

1969年の冬、先生は体調を大きくくずし、高熱を出していました。それでも、大切な学会の人々をはげましたいと、先生は関西を訪れました。

会合に集まった人たちは、先生が熱を出していることなど知りません。先生は、全力でみんなをはげますスピーチをし、さらにせんすを手に持つと歌の指揮をとりました。みんなが元気になってくれるなら、私は何でもしよう。これが先生の心だったのです。

◆◆◆

学会の前進は、いつも力強いみんなの歌声とともにありました。

そして、指揮をとる池田先生の姿がありました。それは、鳥の王者である大きなワシが天空を舞うような姿でした。

21世紀に入って、70歳をこえてからも、先生は何度も何度も、学会歌の指揮をとりました。

本当なら、全国、全世界の学会の同志一人一人に会って、抱きかかえて、はげましたい。ほめたたえてあげたい。

それはできないから、せめて、みんなのために学会歌の指揮をとってあげたい。何があっても負けずに、ゆうぜんと、ほがらかに、勝ちこえていく強い心を伝えたい。未来部のみんなには、人類の未来をたのむよ！　いつも、そういう思いで、先生は指揮をとってきたのでした。

さあ、〝ししの心〟で、勇かんに出発しましょう。

東日本大震災と創価学会

〝心の財〟は絶対に壊されない

東北の同志は、池田先生の言葉を胸に、前進してきました。この〝支え合う心〟を受け継ぐのはみなさんです

東日本大震災が起きたのは、2011年3月11日のことです。午後2時46分。東北地方の沖合の太平洋の海底で、マグニチュード9・0という巨大地震が発生しました。日本でこれまで観測された中で、一番大きな地震です。北海道から九州まで、日本列島のほぼすべてがゆれました。

震源に近かった東北地方は、大きくゆれました。停電が起きてテレビも映らず、携帯電話もほとんど通じなくなりました。そして地震から30分ほどすると、だれも想像していなかった高さの大津波がおし寄せてきたのです。

北海道から千葉県までの太平洋側では、あちこちで津波が町や村を飲みこんでいきました。真っ黒な海水が、建物も車も、すべてをおし流していきました。

　2万2200人以上の人が亡くなり、2500人以上の人が、今も行方不明になったままです（関連死含む、2023年3月10日時点）。原子力発電所が壊れて、有害な放射能がもれたために、人が住めなくなってしまった地域もありました。

◇◇◇

　特に津波の被害が大きかったのが、岩手県、宮城県、福島県の太平洋側でした。ほんの少し前まで人々が暮らしていた家も、町も、あとかたもなく流されていました。家族や友だちが無事なのかどうかもわかりません。

　学会の会館に避難してきた人たちも大勢いました。学会の人たちは、ふだんから〝人をはげます〟〝人のために行動する〟ことをしています。その力が、いざという時に発揮されたのです。

　自分たちも大きな被害を受けていたにもかかわらず、みんなで力を合わせて避難してきた人々を守り、おたがいにはげまし合いました。

　被害の小さかった地域の学会員さんたちは、すぐに水やおにぎり、毛布、ストーブなどを集め、トラックに積んで避難所へ出発しました。

◇◇◇

　何よりも大きな力になったもの。それは、池田先生からのはげましでした。3月16日の聖教新聞に、先生からのメッセージがのったのです。

「『心の財』だけは絶対に壊されません」

「断じて負けるな！　勇気を持て！　希望を持て！」

　あの町でも、この町でも、学会員さんたちは、この聖教新聞を届けて歩きました。

　不安と悲しみにしずんでいた人々の顔にも、パッと光がさしたようでした。

　そうだ！　何もかも壊されて、失ってしまったけれど、私の心の中に積み上げてきた〝財〟は、地震にも津波にも壊されないのだ！

　よし！　もう一度ここから立ち上がってみせよう。必ず池田先生に〝私は勝ちました〟と報告できるようにしよう――。

　メッセージを受け取った東北の創価家族は、この決意で生きぬいてきました。

　一番苦労した人、一番悲しんだ人が、最後は必ず、一番幸せになれる。これが日蓮大聖人の仏法なのです。

第2章

世界に広がる友好の輪

中国・周恩来総理との出会い
日本と中国は〝よき友人〟

池田先生と周総理の会談はわずかな時間でしたが、日中友好の思いは強くひびき合いました

日本と中国は２０００年以上も交流がある〝となり同士〟の国です。お米やおはし、漢字、仏教、お茶、学問など、たくさんのものが中国から伝わって、日本は発展してきました。

しかし、20世紀の戦争で、日本は中国の人々に、言葉で言い表せないほど多くの苦しみを与えました。戦争が終わった後も、国交（国同士のお付き合い）は閉ざされたままでした。

１９４９年に中華人民共和国が誕生し、最初の総理（日本の首相と同じ）になったのが周恩来さんです。周総理は「日本の民衆も、日本の軍国主義のぎせい者なのだ。未来のため、うらみを捨てて、日本と中国の平和を願おう」と中国の人々に語りました。

どこまでも人々につくすことを第一に、働き続けた総理でした。周総理は、創価学会が民衆の中から発展した団体であることに注目していました。

世界の平和のために、日本は中国と国交を回復するべきだ――。1968年9月8日、たくさんの学生たちが集った会合で、そう語ったのが池田大作先生でした。先生の言葉は、北京の周総理のもとにも伝わりました。4年後、日本と中国は国交を回復するのです。

1974年5月、池田先生は初めて中国を訪問します。12月には2回目の訪問をしました。中国の指導者たちに会い、大勢の学生や子どもたちとも友情を結びました。何よりも、日本と中国の民衆と民衆が理解し合うことが大切だと、池田先生は考えていたのです。

明日は日本に帰るという12月5日の夜のことです。北京のホテルにいた池田先生に連絡が入りました。

「周総理が待っています。これから、いっしょに来てください」

実はこのころ、周総理は重い病気で手術をし、入院していたのです。

「どうしても会わなければならない人がいる」

医師たちが反対しても、周総理は池田先生と会うと決めていたのでした。

池田先生と奥様が病院に着くと、周総理はわざわざ玄関で待っていました。先生の手をとり、「よくいらっしゃいました。お会いできて本当にうれしいです」とほほえみました。

周総理は、未来永遠の中日友好と世界平和の願いを、池田先生に語りました。これが、最初で最後の出会いでした。

翌年11月、先生の提案で、創価大学に学ぶ中国からの留学生たちの手で、キャンパスに桜が植えられました。周総理の健康と日中友好を願い、この桜は「周桜」と名づけられました。

総理が亡くなった後、夫人の鄧穎超さんと池田先生夫妻は、何度も出会いを重ねます。周総理と同じ心で、人々につくしてきた鄧穎超さんのことを、池田先生は「人民のお母さん」とたたえました。

アジアの平和、世界の平和のために、何があっても日本と中国は「よい友人」でいなければならない――。周総理と池田先生の心を、今度はみんなが受け継いでいってください。

松下幸之助さんとの語らい

ひびき合うリーダーの信念

長い対談の後でも、松下さんは〝池田先生と話すと元気になる〟と語られていました

日本を代表する総合エレクトロニクスメーカー・パナソニックの創業者・松下幸之助さんは、1894年に和歌山で生まれました。父親が商売に失敗して、小学校を途中でやめ、9歳から家を出て、よその店に住みこみで働かなければなりませんでした。

朝早くから夜おそくまで、きつい仕事の連続です。そのうち、電球や路面電車など、電気が人々の暮らしに使われ始めました。

電気を、もっと安全で便利に使える世の中にしたい。松下さんは小さな会社を作り、工夫と研究を重ねました。

電球を取りつけるソケット。自転車の電池式ライト。乾電池。今の私たちの周りにも、このころ松下さんが発明したり改良したりして、広まった製品がたくさんあります。

やがて松下電器産業という会社名になり、ラジオ、すい飯器、洗たく機、冷ぞう庫、テレビ、エアコンなど、さまざまな電化製品を作る世界的な会社に大発展していきました。

一代で世界的な電機メーカーを作った松下さんは「経営の神様」とたたえられるようになります。

２００８年からは、会社の名前をパナソニックにしました。

その松下さんが、ある時、創価学会の文化祭に、来ひん（お客様）の一人として招かれました。

出演者の生き生きとした演技。スタッフの青年たちの礼儀と心配り。世界平和への情熱。松下さんは感動しました。

こんな青年たちを何十万人と育てている池田先生はすごい指導者だ。苦労を重ねて世界的な会社を作り上げてきた松下さんだからこそ、そう思えたのです。

「一度ゆっくり、お話ししたい」

そのころ、松下さんは80歳近くになっていましたが、池田先生のもとを訪ねてきました。

年れいは松下さんの方が30歳以上も上です。けれど、松下さんは池田先生を心から尊敬するようになりました。池田先生が創立した創価大学にも、関西創価学園にも、松下さんは足を運びました。

また、松下電器産業の本社の見学に池田先生を招いた時には、松下さん自身が案内しました。

日本庭園のある京都の屋しきに池田先生を招いた時は、夫人といっしょに前日から、すみずみまで目を配って、準備をしました。

ある時は東京の聖教新聞本社で、ある時はハワイで開かれたＳＧＩの集いで。先生と松下さんの語らいは、およそ30回も重ねられました。

核兵器のない世界をどうつくっていくか。日本の未来をどうすればいいか。教育で大事なことは何か。

二人の真けんな語らいは毎回、４時間、５時間、６時間にもおよびました。何十通と交わした手紙は、『人生問答』という本になっています。

人間にはどんな困難も乗りこえて、世界を変えていける力がある。松下さんと池田先生には、ひびき合う信念があったのです。

ポーリング博士との出会い

人類のために行動する科学者

ポーリング博士は「やれば必ずできるという自信を持って、探求しぬくことです」と語っています

20世紀で、最も偉大な科学者とされている二人がいます。アインシュタイン博士とライナス・ポーリング博士です。

ポーリング博士は、20世紀が始まる１９０１年に、アメリカで生まれました。小学生の時にお父さんを病気で亡くし、学生時代は、働いて家族を支えながら勉強を続けます。

やがて化学や物理学などさまざまな分野で、偉大な研究を次々となしとげていきました。

１９５４年には「ノーベル化学賞」を受けます。ポーリング博士の研究が土台となって、人類の科学は大きく発展しました。博士は今も〝現代化学の父〟と呼ばれ、高く尊敬されています。

博士は「平和」のためにも、エバ夫人と心を合わせて、真けんに行動しました。1955年には、アインシュタイン博士らとともに、核兵器をなくすようにうったえる「ラッセル＝アインシュタイン宣言」を発表しています。

平和運動の先頭に立ったことでアメリカ政府から弾圧され、悪口やひはんをあびました。

けれども博士は、自分の正義の行動に誇りを持っていました。核実験に反対する1万数千人の科学者の署名を集めて、国連に届けました。

1962年には「ノーベル平和賞」を受けます。異なる分野で二つのノーベル賞を受けたのは、世界で初めてです。

科学へのこうけんも、平和へのこうけんも、博士にとっては「人類が幸せになるため」の挑戦でした。

そして博士は、同じように平和のため、人類のために、命がけで戦ってきた人がいることを知ります。

1987年2月24日。博士は住んでいるサンフランシスコから飛行機と車を乗りついで、アメリカ創価大学ロサンゼルス・キャンパス（当時）へとやってきました。博士は出むかえた池田先生に言いました。

「世界平和を達成するために大変な努力をしている方とお会いできたことがうれしい！　私にできることは、なんでも喜んで協力させていただきます」

ポーリング博士と池田先生は、4度の出会いを重ねました。

1993年に先生がアメリカの名門クレアモント・マッケナ大学で講演をした時も、博士は会場にかけつけました。そして、人類の未来についての希望をこう語りました。

「私たちには創価学会があります。そして池田SGI会長がいます！」

先生と博士の対話は、対談集『「生命の世紀」への探求』として、世界各国で出版され読まれています。

博士は1994年に93歳で亡くなりました。池田先生の提案で、博士の人生を紹介する展示が世界各国で開催され、これまでに100万人以上が訪れました。

アメリカ創価大学には、「ポーリング夫妻棟」と名づけられた校舎があります。〝21世紀のポーリング博士〟が、きっとここから誕生することでしょう。

ゴルバチョフ元大統領との出会い
未来のために語り合う

池田先生と奥様は、ゴルバチョフさんとライサ夫人を笑顔でかんげいしてきました

池田先生は語っています。

「人生において最も美しく、強く、尊いもの。それが友情です」

1945年に第2次世界大戦が終わった後、世界は二つに分かれて対立していました。

一つはアメリカを中心としたグループ。もう一つは、ソ連（当時）を中心としたグループです。日本は、アメリカのグループに入っていました。

アメリカとソ連は、おたがいに、何万発もの核ミサイルを、いつでも相手に発射できるようにしていました。いつ核戦争が起きて、人類が滅んでもおかしくない。何十年もの間、世界の人々はそんなきょうふの下で暮らしていました。

池田先生は、ソ連とアメリカのリーダーたちに〝同じ人間なのです。二つの大国のリーダーが直接会って、話し合うことです〟と、くり返し語り続けてきました。

1985年。ソ連に新しいリーダーが誕生しました。ミハイル・ゴルバチョフさんです。いつまでも古い考え方ではいけない。新しい考え方で、ソ連を変え、世界を変えていくべきだと、ゴルバチョフさんは考えていました。

ゴルバチョフさんは、アメリカの大統領と直接会って、平和のための話し合いを重ねました。そして1989年、ついにソ連とアメリカは二つのグループの対立を終わらせると決めたのです。

翌年3月、ゴルバチョフさんはソ連の初代大統領になりました。世界を変えた勇気ある行動に対し、12月にはノーベル平和賞がおくられています。

この1990年の7月27日。ソ連の首都モスクワのクレムリン宮殿で、ゴルバチョフ大統領は池田先生をむかえました。

「きょうはケンカをしにきました！　火花を散らして語り合いましょう。人類のために！」

〝心を開いて対話をしましょう〟との思いを、池田先生はユーモアをこめて、こう語ったのです。大統領も思わず笑顔で語りました。

「前からよく知っているどうしが、やっと会って、よろこびあっている。そんな気持ちです」

初めての会談は、1時間をこえました。先生から〝ぜひ日本へおこしください〟と言われた大統領は、〝来年の春には行きたい〟と答えました。ソ連のリーダーが日本に来たことは、それまで一度もなかったのです。

次の年の春、約束通りゴルバチョフ大統領は日本に来て、池田先生と再会しました。その後、ソ連は、今のロシアなど15の国々に分かれます。

ゴルバチョフさんが大統領をやめた時、池田先生は〝これから、あなたの本当の人生が始まります〟と、はげましました。二人は友情を深め、人類の未来のために、これまで10回も語り合いました。ゴルバチョフさんは語っています。

「池田会長のような人物と友情を結ぶことができた運命に、私は感謝したい」

ゴルバチョフさんとの対談集は、世界各国で出版されています。

ハーバード大学で池田先生が講演

仏法の考えは世界の希望

池田先生は戸田先生に教わった仏法の考えを、世界の名門大学で広げてきました

アメリカの東海岸にあるボストン。ここは、アメリカで最も古い街の一つです。ボストンとその周辺には、１００をこえる大学や研究機関が集まっています。

その中でも、１６３６年に創立されたハーバード大学は、アメリカで一番歴史の古い大学です。卒業生からは8人のアメリカ大統領が生まれています。

また、ノーベル賞を受けた卒業生の数でも、ハーバード大学は世界一です。世界の最高ほうの大学とたたえられているのが、ハーバード大学なのです。

１９９１年9月26日。池田先生は、そのハーバード大学から招きを受け、講演するためにウィナー講堂のだん上に立っていました。ハーバード大学だけでなく、ボストンにあるほかの名門大学からも、世界的な学者たちが集まって、にこやかに見守っています。

この時、21世紀が開幕する2001年まで「あと10年」となっていました。

新しい世紀に向かって、人類はどのように進めばいいのか。どうすれば、人類はよりよい世界をつくっていけるのか。各国のリーダーや知性たちは、真けんに考えていたのです。

ウィナー講堂に、池田先生の力強い声がひびきました。それを通訳が英語に訳していきます。「ソフト・パワーの時代と哲学」という題での講演です。

先生は、アメリカという国がつくられたころに、人々にあふれていた「内発的な精神」をたたえつつ、その精神が仏法の深い英知にも通じ合うこと、そこに世界をよりよくしていくカギがあることを語りました。

先生の講演は、参加していた大学の教授やノーベル賞の受賞者たちに大きな感動を与えました。

2年後の1993年9月24日。池田先生は、もう一度ハーバード大学を訪れます。

池田先生から、もっと学びたい。ハーバード大学の学者たちは、再び先生を講演に招いたのです。

2度目の講演は「21世紀文明と大乗仏教」と題し、先生は、仏法の英知が「生と死」をどう考えているのか、21世紀の世界に、どうこうけんしていけるのかを語りました。

人間は対話によって平和を築いていけること。何かにたよるのではなく、なすべきことに全力をつくす生き方が大切なこと。あらゆるものごとは関係し合っているのだから、どんな困難があっても、自分が運命を変える主人公になっていけること。

先生の講演を聞いた世界的な学者たちは、仏法の英知が21世紀の世界を変えていけるという希望を見いだしました。

池田先生の書いた本は、ハーバード大学の授業でも使われています。世界最高ほうの大学は、先生の講演や本を通して、仏法の持つ可能性とちえを探求し始めたのです。

みんなの中からも、将来ハーバード大学で学ぶ人が、きっと出てくるでしょう。

ローザ・パークスさんとの出会い

社会の不公平に立ち向かう

パークスさんは〝未来の世界がどうなるかは、私たちがどのように生きるかにかかっています〟と語りました

たった一人の小さな勇気が、歴史を動かすことがあります。

1955年の冬の日のことです。ローザ・パークスさんは洋服の仕立てを手伝う仕事を終えて、つかれた体でバスに乗りました。

実は、このころのアメリカでは、学校も、ホテルやレストランも、白人専用とアフリカ系の人専用に分けられていました。同じアメリカ人なのに、肌の色で差別されていたのです。

バスも、白人は前の席、アフリカ系の人は後ろの席と決められていました。白人の座る席がない時は、アフリカ系の人が自分の席をゆずって立たなければなりませんでした。

この日も、白人の乗客が増えてきて、アフリカ系の乗客は、席をゆずらされました。でもパークスさんは立ちませんでした。

パークスさんは、差別され、白人のいいなりになることに我慢できなかったのです。すると、運転手が席に来て、立つのかどうかたずねました。

「ノー」

「立たなければ警察にたいほさせるぞ」

「かまいませんよ」

◆◆◆

やがて警官が来て、パークスさんはたいほされました。しかし、このパークスさんの勇気が、多くの人々に力を与えたのです。

差別をするバスになんか乗るもんか。アフリカ系の人々はバスに乗ることをやめました。

そして、ここから人種差別の反対を求める運動が、力強くアメリカ社会に広がっていったのです。9年後、人種差別を禁止する法律ができました。

ローザ・パークスさんの勇気ある行動は教科書にものって、世界中から尊敬されるようになりました。

パークスさんは、それからも社会の不公平に立ち向かい、青少年の教育のために、つくしてきました。

◆◆◆

1993年1月30日。79歳のパークスさんは、アメリカ創価大学ロサンゼルス・キャンパス（当時）を訪れます。かんげいの歌声の中、池田先生と奥様が出むかえました。

池田先生と会って、パークスさんには新しい目標ができました。「今度は、世界平和のためにつくそう」と決意したのです。

そのころ、アメリカを代表する人々が、自分の人生を変えた時を、1枚の写真で紹介する本が作られている最中でした。最初、パークスさんはバスの席をゆずらなかったあの日の写真をのせるつもりでいました。

けれども、パークスさんが選んだのは、池田先生と出会ってあく手をしている写真でした。先生との出会いこそ、自分の人生を変えたと考えたからです。

次の年、パークスさんは初めて太平洋をこえ、日本の創価大学にやってきました。そして聖教新聞社で池田先生と再会しました。

先生のはげましを受け、パークスさんは92歳まで生きぬきました。みんなもいつか、アメリカの「ローザ・パークス記念館」を訪ねてみてください。

チョウドリ博士との出会い
「人類の議会」を支え続ける

池田先生とチョウドリ博士は、未来を築く青年と子どもたちこそ「人類の宝」であると語り合いました

みんなは「国連」という言葉を聞いたことがありますか？　正式には「国際連合」といいます。

世界の各地で起きる争いごとを、できるだけ平和的に解決し、戦争が起きないようにする。そのために各国の代表が集まって話し合い、約束や目標を決めるようにしようと、第２次世界大戦が終わった１９４５年の10月に誕生しました。

国連の本部は、アメリカのニューヨークにあります。世界に１９６ある国のうち、今では、ほぼすべての１９３カ国が国連に加盟しています。国連は、「人類の議会」と呼ばれています。

また国連には、子どもたちや女性の権利を守る、難民（紛争などで自分の国にいられない人）を助ける、災害を防ぐといった専門の機関があります。

池田先生は、第3代会長になった1960年、アメリカを初訪問した時に国連本部を見学しています。

1975年には、国連本部で事務総長と会見し、創価学会青年部が集めた〝核兵器をなくそう〟という呼びかけに賛成する1000万人の署名を手渡しました。

その後、国連は、世界から核兵器の数を減らしていくために、さらに大きな力を注いでいきました。

国が国連を支えるだけでなく、人々もまた国連を支える主役にならなければいけない。民衆の声で国連を強くし、国連を中心に世界平和を築こう――これが池田先生の考えでした。

1983年からは、毎年の「SGIの日」（1月26日）を記念して提言を発表し、国連といっしょに困難を乗りこえていくことを、世界中の人々に呼びかけ続けてきました。

バングラデシュ出身のアンワルル・K・チョウドリ博士は、ずっと国連で重要な仕事をしてきました。

バングラデシュは第2次世界大戦後に誕生した新しい国です。独立戦争では、多くの人が命を落としました。だからこそ、博士は人類の平和のために真けんに働いてきたのです。

博士は、池田先生がずっと国連を支え続けてきたこと、創価学会が国連といっしょに核廃絶に取り組んできたこと、女性や子どもを守るさまざまな取り組みをしていることに深い信らいを寄せていました。

2003年3月19日。国連事務次長になっていたチョウドリ博士は、創価大学を訪問し、池田先生と会い、固い友情を結びます。博士は2005年には、アメリカ創価大学の第1回卒業式にも出席し、記念講演をしています。

2006年、博士は再び東京を訪れ、池田先生と語り合いました。チョウドリ博士は言いました。

「これほど長い間、変わらずに国連を支え続けてくださった人は、他にいません。世界で池田先生お一人です」

二人の語らいは、対談集『新しき地球社会の創造へ』としてまとめられました。

未来部出身者で、国連で働いている人もたくさんいます。

マータイ博士との出会い
「モッタイナイ」の心を世界に

〝未来を変えたいなら、今から、自分から行動を！〟――池田先生とマータイさんは語り合いました

ご飯やおかずを残したり、まだ使えるものを捨てたりして、おうちの人から「もったいない」と言われたことはありませんか？

この「モッタイナイ」という日本語は、世界でも有名です。この言葉を広めたのはケニアの女性、ワンガリ・マータイ博士です。

マータイさんはケニアの農家に生まれました。貧しい家庭でしたが、一生けんめいに勉強して、国から選ばれてアメリカの大学に留学します。さらにドイツでも学び、アフリカの名門であるケニアのナイロビ大学で博士になりました。

マータイさんは、ふるさとの森が減っていることに心を痛めていました。貧しい家庭が多く、女性たちは毎日遠くの森まで歩いて木を切り、それを燃やした火で食事をつくるしかなかったのです。

木がなくなれば、大地に水がたくわえられません。池や川が枯れて自然が破壊されれば、食べるものも減り、人々の暮らしはますます貧しくなります。

そこで、マータイさんは貧しい女性たちといっしょに、木を植える運動を始めました。最初は7本の木を植えました。

木をたくさん育てていけば、豊かな自然がもどります。たくさん育てば、木を切って売ることもできます。

マータイさんは、貧しさに苦しんでいたアフリカの女性たちを、地球環境を守り、人間らしく生きられる社会をつくる、〝主人公〟に変えていったのです。

この運動は、やがて世界各地に広がりました。これまで、アフリカだけで5000万本をこえる木が植えられてきました。その功績がたたえられ、2004年にアフリカの女性として初めてノーベル平和賞を受けたのです。

翌2005年2月、日本を訪れたマータイさんは「もったいない」という日本語を知りました。

これはモノを大切にし、ゴミを減らす〝魔法の言葉〟だ――。そう感じたマータイさんは、世界のリーダーたちに「モッタイナイ」を広めていったのでした。

人々に環境の大切さを伝えるマータイさんの運動に、協力してきたのがSGIです。この日本への旅の中で、マータイさんは池田先生のもとを訪ねました（2月18日）。

エレベーターの扉が開くと、そこに池田先生と奥様が待っていました。先生はアフリカのスワヒリ語で「カリブ！（ようこそいらっしゃいました！）」とかんげいし、奥様が大きな花束をおくりました。

マータイさんは、池田先生とSGIへの感謝の気持ちを伝え、こぼれるような笑顔で、「池田先生から学んだ考えを、私はアフリカの人々と分かち合っていきます」と語りました。

翌年、マータイさんは創価大学を訪問し、名誉博士号を受けています。アメリカ創価大学の校舎の一つには、「マータイ棟」という名前がつけられています。

第3章

みんなで学ぶ学会の歩み

【1月2日】池田先生の誕生日

争いのない未来を求めて

池田先生と出会いを結んだ当時の子どもたちは、世界を平和にみちびくリーダーへと成長しています

池田大作先生は、子どもたちのことが大好きです。これまで、日本の各地、世界の各地を訪ねるたびに、毎回のように小さな子どもや少年少女たちと、ふれ合う時間をつくってきました。

そして、先生はどんな子どもと出会う時も、心をこめて、そのいっしゅんを大切にしてきました。

大統領や大学の学長と語り合う時も、一人の子どもと言葉を交わす時も、池田先生は同じように相手を尊敬して、友情を結ぶ気持ちで接してきました。

なぜ、先生が子どもたちを心から愛し、大切にしてきたのか。それは、子どもたち、少年少女たちこそが、未来の世界を生きる主人公だからです。

みんなのために、平和への道を真

けんに切りひらいておきます。地球の未来、世界の未来のことを、どうかよろしくたのみます――。そういう思いで、先生はいつも子どもたちとあいさつを交わし、はげましをおくってきたのです。

そんな池田先生は、どんな子ども時代をすごしたのでしょう。

先生が生まれたのは、1928年1月2日。池田家は江戸時代から代々、東京湾でのりを作る仕事をしていました。

先生は、男7人、女1人という、8人きょうだいの5番目です。お父さんの名前は「子之吉」。お母さんは「一」という名前でした。

家があった場所は、今の東京国際空港（羽田空港）のすぐ近くです。今では高速道路が走り、ビルや工場が立ちならんでいますが、先生が子どものころは、砂浜や野原、田畑が広がっていました。

池田先生が通っていた小学校も、田んぼの中にありました。冬になると田んぼに張られた水がこおり、子どもたちは竹で作ったスケートで遊んでいたそうです。

先生が小学2年生の時に、お父さんがリウマチという病気で寝こんでしまいます。

大家族を支えるために、一番上のお兄さんは中学校を途中でやめて働き始めました。池田先生も小学6年生から3年間、新聞配達をして家計を助けました。

それでも一家の生活は大変でしたが、お母さんは子どもたちの前では明るく、「うちは貧乏の横綱だ」と笑い飛ばしていました。

やがて日本は戦争に突入します。お兄さんたちは、次々と兵隊にさせられました。池田先生が大好きだった一番上のお兄さんは、遠い南の国で戦死しました。

飛行機から爆弾を雨のように落とされて、先生も家を焼かれ、弟といっしょに炎の中をにげました。

戦争がどれほど残酷で、悲惨なものか。日本は二度とこんなことをくり返してはならない。そして、世界から戦争というものをなくさなければいけない。

世界平和のために行動し続けてきた池田先生の原点は、この少年時代の体験にあるのです。

【1月26日】ＳＧＩ（創価学会インタナショナル）結成の日

世界市民のネットワーク

心に勇気をともす池田先生の行動が、一人、また一人と伝わり、多くのＳＧＩの同志が誕生しました

1975年1月26日の朝早く。池田先生は、太平洋に浮かぶ島・グアムの海岸に立って、大海原を見つめていました。

海を見つめながら、池田先生は21年前の、恩師・戸田城聖先生との語らいを思い出していました。

1954年の夏、戸田先生は自分が育ったふるさとの北海道・厚田村に、若き池田先生を連れていってくれたのです。その厚田の海岸で、夕日に染まる日本海を見ながら、戸田先生は言いました。

「ぼくは、日本の広宣流布（仏法をひろめること）の盤石な礎（土台のこと）をつくる。君は、世界の広宣流布の道をひらくんだ」

人類の平和のために、世界に広宣流布していくこと。それは、戸田先生から池田先生にたくされた、大切なバトンでした。第3代会長になって以来、池田先生は世界をかけめぐってきたのです。

昼近くになって、グアムの国際貿易センタービルで、「世界平和会議」が始まりました。

そこには、51カ国・地域の創価学会の代表158人が集まっていました。中には、誇らしく民族衣装を着ているメンバーもいます。池田先生も奥様といっしょに出席しました。

実は、このグアムは戦争で深く傷ついた島でした。最初は日本軍が占領しました。けれどもアメリカ軍が太平洋の島々をうばい返し、このグアムでも激しい戦闘が起きたのです。2万人近い日本とアメリカの兵士が命を落とし、何の罪もないグアムの人々まで、たくさんの人が亡くなりました。

戦争で多くの命がうばわれ、人々が苦しんだこのグアムを、世界平和の出発の場所にしよう。こう提案したのは池田先生でした。

この「世界平和会議」で、SGI（創価学会インタナショナル）が結成されたのです。

全参加者の願いで、池田先生が「SGI会長」に就任しました。池田先生を〝師匠〟として、世界各国のメンバーが、心を一つに出発したのです。

池田先生は、各国・地域のリーダーたちにこう語りました。

「全世界に妙法という平和の種をまいて、その尊い一生を終わってください。私もそうします」

2025年、SGIは結成から50年になります。今や「創価」の連帯は、世界192カ国・地域に広がっています。SGIは、国連や世界中のリーダーが信らいを寄せる〝世界市民〟のネットワークになりました。

池田先生の指揮によって、日蓮大聖人の仏法は世界に広まりました。どの国でも、どの地域でも、先生と同じ心で妙法の種をまき続けた、名もない人々がいました。

21世紀の舞台で、色とりどりの花をさかせていくのが、みんなの使命です。「南無妙法蓮華経」は、自分の生命の花をさかせていく力です。あせらず、忍耐強く、一生をかけて、自分だけの美しい花をさかせていきましょう。

【2月11日】戸田先生の誕生日
焼け野原から一人立つ

戸田先生は戦後の生活に苦しむ人々に、生きる希望をおくり続けました

その少年は、同級生たちから「ナポレオン」というあだ名で呼ばれていました。ナポレオンのことになると、学校の先生よりもくわしく知っていたからです。

少年の名は、戸田甚一。のちの創価学会第2代会長・戸田城聖先生です。

甚一が生まれたのは、1900年2月11日のこと。場所は、石川県の一番西にあった塩屋村（今の加賀市塩屋町）でした。

甚一がまだ幼いころに、一家は北海道の厚田村（今の石狩市厚田区）に移り住みます。このころの厚田村は、ニシンがたくさんとれる漁村でした。

小学校時代から甚一は背が高く、成績も優秀でした。目の前に広がる海を見ながら、世界の国々のことを心に思いえがいていました。15歳からは、札幌で働きながら勉強を続けます。

　学校の先生になる試験に合格した甚一は、18歳で夕張の真谷地小学校の先生になりました。子どもたちから大人気の先生でした。

　19歳になった甚一は、北海道から上京し、東京の西町小学校の校長をしていた、牧口常三郎先生を訪ねます。

「先生、私を採用してください。私はどんな劣等生でも必ず優等生にしてみせます」

　また、甚一は自分の名前を「城外」と改め、春から西町小学校で働き始めます。やがて猛勉強をして、大学にも入学するのです。

　１９２３年には学習じゅくを始めました。のちに「時習学館」という名前になります。

　特に、戸田先生は数学の天才でした。戸田先生が出版した算数の本は、１００万部のベストセラーになっています。

　１９３０年、戸田先生は牧口先生と力を合わせて創価教育学会を創立します。初代会長は牧口先生です。子どもたち一人一人を幸せにしたい。これが、牧口先生と戸田先生の強い願いでした。

　ところが、日本はこのころから戦争への道を進んでいきます。「日本は神様の国」と教えられ、アメリカとの戦争が始まると、どの家にも「神札」をまつるよう命令されました。

　１９４３年７月、牧口先生と戸田先生は、たいほされ牢屋に入れられました。「神札」をまつることを勇気を出して断ったからです。牧口先生は正義の心をつらぬき、牢屋の中で亡くなりました。

　１９４５年の７月、戸田先生は出獄します。日本の多くの街は、アメリカ軍などに何度も爆弾を落とされていました。８月、広島と長崎に原子爆弾が落とされ、たくさんの人が亡くなりました。ついに日本は降伏しました。

　戸田先生は、焼け野原になった東京を見ながら、深く決意しました。人々を、この苦しみから救おう。二度と戦争のない世界をつくろう。そして、牧口先生の正しさを証明してみせよう――。

　戸田先生は名前を「城聖」と改め、創価教育学会を創価学会と改めます。今、世界１９２カ国・地域に広がる創価の大連帯は、この戸田先生の一人の決意から始まったのでした。

【3月16日】広宣流布記念の日
未来は君たちにまかせる!

「毎日が『3・16』であった」とつづられた池田先生。いつも戸田先生と心で対話し、進んできました

どんなに大きな川も、その始まりは一滴のしずくからです。

「牧口先生が正義の人であったことを、必ず証明してみせる」

今、世界192カ国・地域に広がった〝創価の連帯〟も、この戸田城聖先生の「一人の決意」から始まったのです。

1951年5月、戸田先生は牧口常三郎先生の後を継ぎ、創価学会の第2代会長になります。その日、戸田先生はこう宣言しました。

「私が生きているあいだに、75万世帯の折伏は、私の手でいたします!」

まだ学会員がやっと3000人ほどになったばかりの時代です。多くの人は、75万世帯なんて夢のような話だなあと、ぼんやり聞いていました。その中で、師匠と同じ決意で真けんに聞いていた青年がいました。

それが池田先生です。

池田先生は戸田先生のもとで働きながら、戸田先生がゆうゆうと広宣流布の指揮がとれるよう、けんめいに守り支えてきました。


戸田先生が会長になったころ、大勢の人々が、貧しさや病気など、さまざまな苦しみの中で生きていました。先生は毎日毎日、そうした一人一人を、抱きかかえるように真けんにはげましました。

若き池田先生もまた「戸田先生の弟子」として、日本の各地をかけめぐりました。池田先生の行くところ、そのはげましにふれ、生き生きとした姿にふれて、一人また一人と創価学会の信仰をする人の輪が広がっていきました。


そして、ついに１９５７年の12月に、創価学会は75万世帯を突破したのです。


このころ、戸田先生のお体は弱っていました。戦争中に２年も牢屋に入っていたことと、人々のために休みなく働き、無理に無理を重ねてきたからです。

けれども、心は師子王のように力強く燃え、はるか未来を見つめていました。戸田先生は池田先生に言いました。

「これで、日本の広布の基盤は整ったといってよいだろう」

「大作。君は世界へ征け！」

池田先生は、この戸田先生の言葉を心に焼きつけました。必ず、戸田先生の思いを実現してみせると誓ったのです。


１９５８年3月16日。戸田先生のもとに、全国から青年の代表６０００人が集まりました。式典の司会は池田先生です。青年たち一人一人の顔を見つめながら、戸田先生は言いました。

「未来は君たちにまかせる。たのむぞ、広宣流布を！」

「創価学会は宗教界の王者である。何もおそれるものなどない」

それは戸田先生から、池田先生を中心とした青年たちに、広布のバトンがわたされた式典でした。

バトンを受けとった「一人の決意」「一人の勇気」が、世界を変えていくのです。池田先生のはげましによって、創価学会は地球のすみずみにまで広がり、人類の希望として、信らいされ、たたえられています。

【4月2日】創価大学開学
人類の平和のための大学

創価大学では、日本・世界から多くの学生が集い、学びときたえの青春をおくっています

毎年、1月2、3日に開さいされる箱根駅伝。東京から箱根までの往復およそ217キロを10区間に分け、大学生のランナーがそれぞれのチームの〝タスキ〟をつなぎながら走ります。上位10位までは翌年の出場資格が与えられます。

多くの大学が出場を目指し、たくさんの名勝負やドラマが生まれてきた箱根駅伝。その中で、着実に結果を積み重ねている大学の一つが、創価大学です。

創価大学駅伝部は、2015年に初出場を果たし、これまで7回、箱根を走りました（2024年3月現在）。

2020年には、初めてシード権（翌年の出場資格）を取ることができました。この時、創価大学の創立者である池田先生は、駅伝部のみんなに「大勝利おめでとう。本当によくがんばった。ありがとう」と伝言をおくりました。

翌2021年には、東京から箱根の区間をなんと1位でゴール。翌日の、箱根から東京の区間でも力走し、総合2位でゴールテープを切ったのです。この年は、創価大学ができてから、ちょうど50年の節目にあたる年でした。

創価大学が東京・八王子に開学したのは、1971年4月2日のことです。

創価大学の創立は、偉大な教育者でもあった、初代会長・牧口常三郎先生の願いでした。

「僕の代でできなければ、戸田君がつくるのだ」

牧口先生は、弟子の戸田城聖先生にその夢をたくしていました。牧口先生は、戦争を進める軍部政府によって、牢屋に入れられ、亡くなります。牧口先生が残した「創價大學」の文字は今、創価大学の正門をかざっています。

牧口先生が戸田先生にたくした夢を、実現したのは池田先生でした。戸田先生は、1958年4月2日に亡くなります。

だからこそ、池田先生は同じ4月2日を、創価大学の開学の日にしたのでした。

年を重ねるごとに、創価大学は学部や学科が増えるなど、発展を続けました。先生も、何度もキャンパスを訪れ、スピーチをしたり、学生にはげましをおくってきました。

東京ドーム18個分もの広いキャンパスには、2500本の桜をはじめ、美しい緑があふれています。本部棟や中央教育棟からは、かなたに富士山が見えます。

学生たちの笑顔の輪の中には、世界各国からの留学生もいます。ドラマの撮えいなどでも、ときどき創価大学のキャンパスは使われているんですよ。

卒業生には、日本と世界の各地で地域にこうけんする人をはじめ、大企業の社長、政治家、医師、看護師、弁護士などの法律家、学校の先生、プロ野球選手、芸能界で活やくする人など、さまざまな人がいます。

創価の師弟の願いがこめられた、〝人類の平和〟のための大学――いつの日か、ぜひ創価大学に足を運んでみてください。

【4月20日】聖教新聞の創刊記念日

はげましの言葉で心を結ぶ

〝聖教新聞は池田先生からのお手紙〟との思いで、学会員は聖教新聞から勇気と元気をもらっています

かつて、中国の作家である巴金さんが、国際会議のために東京に来ていた時のことです。

世界的な大作家でしたが、ほとんどの日本の人は巴金さんの顔を知りません。ところが、ある朝から急に、「巴金さんですね」「こんにちは」と、ホテルでも街かどでも、見知らぬ日本の人から声をかけられるようになったのです。

〝なぜ、急にこんなにも多くの日本の人が私のことを知るようになったのだろう?〟。実は、その前の日、巴金さんは池田先生と会っていました。笑顔で先生と語り合う巴金さんの姿が、この朝、聖教新聞にのっていたのです。

毎朝、日本中の何百万もの人が聖教新聞を読んでいます。聖教新聞の力はすごいものだと、巴金さんはおどろきました。

　1カ月後、中国を訪問した池田先生と再会した巴金さんは、「おかげさまで、いっぺんに日本中に友人ができました」と、うれしそうに先生に話しました。


　聖教新聞は創価学会の新聞です。第1号が発刊されたのは、1951年4月20日のことでした。戸田城聖先生が第2代会長に就任する2週間ほど前のことです。

　仏法をひろめ、人々を幸福にして、平和な社会をつくっていく。そのためには〝言葉の力〟〝文字の力〟が大切だと、戸田先生は考えていたのです。

　「一つの新聞をもっているということは、実にすごい力をもつことだ。学会もいつか、なるべく早く新聞をもたなければならんな。大作、よく考えておいてくれ」

　聖教新聞を作る計画は、戸田先生と若き日の池田先生との語らいの中で生まれました。

　創刊されると、戸田先生も池田先生も、たくさんの記事を書きました。

「日本中、世界中の人に、聖教新聞を読ませたいな」

　この戸田先生の願いのままに、池田先生は聖教新聞を真けんに育ててきました。どうすれば、読む人に勇気と希望を届けることができるか。読む人が強く、かしこく、心豊かになっていけるか。

　一人一人に会ってはげます思いで、小説、詩、メッセージ、ずい筆と、池田先生は聖教新聞に書いて、書いて、書き続けてきたのです。


　北海道から沖縄県まで、遠くの島々もふくめて、毎日、聖教新聞が配達されています。

　聖教新聞の〝正義の言葉〟〝はげましの言葉〟があったから、創価学会は大発展してきました。

　2019年には、東京・信濃町に世界聖教会館がオープン。今では紙の新聞だけでなくパソコンやスマホなどで読める「聖教電子版」もあり、200以上の国と地域からアクセスされています。

　また、各国のSGIでも、聖教新聞の姉妹紙誌として、いろんな新聞や雑誌が作られています。

　創価学会は、聖教新聞をはじめとした言葉の力で、みんなの心を結び合わせているのです。

【5月3日】創価学会の日・創価学会母の日

新しい決意で立ち上がる日

池田先生はいつも変わらず、全国・全世界の女性を尊敬しはげまし続けています

創価学会には、いくつもの大切な記念日があります。その中でも、一番大切な記念日が、5月3日の「創価学会の日」です。

池田先生の師匠は、戸田城聖先生です。その戸田先生が創価学会の第2代会長になったのが、1951年5月3日でした。

初代会長・牧口常三郎先生の心を受け継ぎ、人類の平和と幸福のため、戸田先生は広宣流布の指揮を始めたのです。

この時、学会員は、日本にわずか3000人ほどいただけでした。まだ学会の会館など、一つもありません。戸田先生の会社が入っている小さなビルの中の、せまい部屋が創価学会の本部でした。

けれども、戸田先生は人類の未来のために、広宣流布は絶対にしなければならないと、固く決意していました。

そして会長になってから亡くなるまでのわずか7年で、日本中に広がる75万世帯の創価学会をつくり上げたのです。

戸田先生が亡くなって2年後。〝池田先生に、第3代会長になっていただきたい〟という学会員の声があふれていました。

そして、１９６０年5月3日。

前の夜にふっていた雨もあがり、東京の空は、雲一つない晴れになりました。

東京・両国にあった日大講堂の内外に、2万人をこえる学会員が集まっていました。建物をゆるがすようなはく手の中、32歳の池田先生が、第3代会長就任のあいさつに立ちました。

戸田先生が広宣流布の指揮に立ち上がった「５月３日」に、池田先生もまた、広宣流布への指揮を始めたのでした。

先生は会長として、日本中に、さらに世界の国々にも、足を運び、はげましの旅を続けました。

１９７０年には、日本の創価学会は７５０万世帯まで発展します。池田先生は、世界の指導者と語り合い、平和・文化・教育の道も大きく開いていきました。

今、池田先生と心を合わせる創価の連帯は、世界１９２カ国・地域にまで広がっています。

世界中に、少年少女部のメンバーがいるのです。

池田先生は、５月３日のことを〝創価学会のお正月だ〟と語ったことがあります。

学会は、毎年の5月3日を、新しい決意でむかえ、前へ前へと進んできたからです。

中でも、一家のため、地域のため、学会のために、がんばってきたのが婦人部（現・女性部）の方々です。

１９８８年。池田先生は、婦人部への感謝と尊敬をこめて、一番大切な「創価学会の日」である5月3日を、「創価学会母の日」にもしようと提案しました。

池田先生が、女性の偉大な力を信じ、女性を尊敬し、大切にしてきたから、学会は世界に大きく広がったのでした。

【5月5日】創価学会後継者の日

〝後を継ぐ〟大切なみなさんへ

先生のはげましを受けて、多くの未来部員が歴史をつくってきました。今度はみなさんの番です！

5月5日は「こどもの日」。日本では、子どもたちの成長を願って「こいのぼり」を立てる風習がありますね。なぜ「こいのぼり」なのでしょう。

それには、こんなお話があります。中国の古い本に、「竜門の滝」という伝説が書かれているのです。

「竜門の滝」は、水の流れが速い、大きな滝です。たくさんの魚が、滝を登ろうと挑戦しますが、なかなか登ることはできません。中国の伝説では、この滝を登ることができたコイは〝竜〟になれるといわれていたのです。

竜になろうと、どんな困難があっても、おそれずに「竜門の滝」を登っていこうと挑んでいくコイの姿。子どもたちにも、そんなふうに育ってほしい――「こいのぼり」には、こうした願いもこめられているのでしょう。

この「竜門の滝」の伝説は、日蓮大聖人も、門下へのお手紙の中で紹介されています。


青い空に、太陽が力強くかがやいていました。

1976年の5月5日。大阪にある関西戸田記念講堂に、小学生から高校生まで、未来部の代表が集まっていました。この日、池田先生が出席して、未来部の会合が開かれたのです。

会合の前に、池田先生は未来部の代表といっしょに、関西戸田記念講堂の池に20匹のコイを放流しました。色あざやかなコイが元気に水の中を泳ぎ、みんなのはく手とかん声がひびきました。


そしてこの日の会合で、これから毎年の5月5日を、「創価学会後継者の日」とすることが発表されました。

後継者とは〝後を継ぐ人〟という意味です。先生は未来部のみんなのことを決して「子ども」あつかいせず、大切な〝学会の後を継ぐ人〟だと考えてきました。

池田先生はこの日、次の指針を未来部におくりました。
①健康でいこう
②本を読もう
③常識を忘れないでいこう
④決してあせらないでいこう
⑤友人をたくさんつくろう
⑥まず自らが福運をつけよう
2013年に先生は、⑦親孝行しよう、を新たに加え、これが今の「未来部7つの指針」になったのです。


池田先生は、戸田城聖先生の後を継いで、世界平和を目指し、全世界に仏法をひろめました。今では世界の多くの国や地域で、少年少女部員が生き生きと活やくしています。

先生の後を継いで、さらに世界の平和を、人類の幸福を、21世紀につくり出していくのが、少年少女部のみんなの使命です。

そのために必要なことのすべてが、「未来部7つの指針」に示されています。たとえ、どんな困難があっても、おそれず、ほがらかに、生きぬいていきましょう。

みんなの命には、池田先生の後を継いでいくことのできる、無限の力がそなわっているのです。

【6月6日】牧口先生の誕生日

信念をつらぬいた人生

校長先生でもあった牧口先生。どんな時も子どもたちを大切にしました

牧口常三郎先生が生まれたのは、1871年6月6日のことです。生まれた場所は、今の新潟県柏崎市荒浜で、目の前には日本海が広がっていました。子どものころは「長七」という名前でした。

家の仕事の手伝いをするため、学校に行けない日もありました。すると、仲のいい友だちが、砂浜に字を書いて、学校で習ったことを長七に教えてくれました。

長七が13歳のころ、一家は、北海道の小樽に移り住みます。長七は、働きながら勉強を続けました。

1893年、師範学校（学校の先生になるための学校）を卒業した長七は、小学校の先生になります。このころ、名前を「常三郎」と改めました。20世紀が始まった1901年。牧口先生は東京に引っこします。

1903年。牧口先生は『人生地理学』という本を出版しました。人々の暮らしと、その土地、そして世界が、どのようにつながっているのかを書いた本でした。

どこにいても、常に「世界」を見つめて生きていける人になろう。どうすれば、世界中の人々が幸福になれるのだろうか。牧口先生の心には、いつもこうした思いがあったのです。

その後、牧口先生はいくつもの小学校で、校長先生を務めます。

毎朝、校門や玄関に立って、子どもたちの様子を見守っていました。子どもたちの名前を呼ぶ時も、必ず「○○さん」と、ていねいに呼んでいたそうです。

どんな子どもの中にも、自分で自分を幸福にしていく力がある――。その力を、引き出していくのが教育だと考えていたのです。

そんな牧口先生を〝師匠〟と決め、一生けんめいに支えていたのが、若き日の戸田城聖先生でした。

1930年11月18日。牧口先生の考えをまとめた『創価教育学体系』という本が出版されます。この本の完成までを、すべて支えたのが戸田先生でした。この日が、創価学会の誕生の日です。

やがて、日本は戦争への道を進み、正義の信念をつらぬいた牧口先生と戸田先生は、牢屋に入れられます。二人の先生はおそれることなく、牢屋の中でも本を読み、学び続けました。

創価学会の創立からちょうど14年後の1944年11月18日。牧口先生は牢屋の中で、73年の人生を終えました。

池田先生によって、今、「創価教育」を実せんする学校は、ようち園から大学院までつくられました。アメリカ創価大学など、世界にも広がっています。

ブラジルやイタリアなどには、牧口先生の名前がつけられた、道路や公園もあります。世界各国の名門大学で、創価教育の研究が進んでいます。

どんな子どもの中にも、無限の力がある！　どんなに苦しいところからでも、自分で自分を幸福にしていく力がある！

牧口先生は、みんなの未来を楽しみに見つめていることでしょう。

【 6月10日 】婦人部結成記念日

女性が力を発揮する時代

家族にとって、社会にとっての〝太陽〟。池田先生と奥様は、創価の女性の幸福と勝利を祈っています

それは、戸田城聖先生が創価学会の第2代会長になって、1カ月ほどたった1951年6月10日のことでした。

戸田先生は学会の婦人たちの代表52人を、東京・新宿のレストランに招きました。

明るいシャンデリアのもと、真っ白なクロスがしかれたテーブルがならび、戸田先生のテーブルには、大きな白百合の花が生けられ、よい香りがただよっていました。

まだ戦争が終わって数年。学会も小さな団体だったころです。けれども、戸田先生のもとに集まった広宣流布を誓った女性たちが、仏法の目から見れば、どれほど尊く偉大な存在か。そして、ここを出発点として、未来に続く創価の女性たちが、どれほど世界を変えていく力を持った人たちであることか。

その誇りと確信を忘れないでほしいと願って、戸田先生はみんなを招いたのでした。先生は語りました。

「女性の力というものは、ふつうに考えられているより、はるかに偉大なものなのです」

この日が、創価学会婦人部（現・女性部）の結成記念日となりました。


第3代会長となった池田先生もまた、だれよりも〝女性の力〟を信じていました。

日本の各地で、そして訪れた国々で、池田先生は創価の婦人たちをはげましてきました。先生と心を合わせ、力強く立ち上がった婦人たちの〝正義の声〟〝勇気の声〟〝はげましの声〟が、家庭を変え、地域を変え、社会を変えてきたのです。

その池田先生と創価の婦人たちの姿に、世界中の女性リーダーたちも深く共感してきました。

人類初の女性宇宙飛行士となったソ連（当時）のワレンチナ・テレシコワさん。中国の周恩来総理の夫人である鄧穎超さん。黒人の権利のために立ち上がったアメリカのローザ・パークスさん。ノーベル平和賞を受賞したケニアのワンガリ・マータイさん、アイルランドのベティ・ウィリアムズさん。どの人も、先生と深い友情を結んできました。


池田先生は、何十年も前から「21世紀は女性の世紀」だと語ってきました。今、先生が語った通りに、女性が力を発揮する時代になってきました。世界には、女性が大統領や首相を務める国も、たくさんあります。人類の半分は女性なのですから、これからもっと、女性のリーダーが増えていく時代になるでしょう。

〝日本一〟の女性の連帯になった創価学会婦人部は、結成70周年を前に、「女性部」という新しい名前になりました。

2021年の11月には、女子部もこの「女性部」に加わりました。これまでの婦人部と女子部が一体となって「女性部」として新出発したのです。

女性の声、女性の力が、もっともっと大切に生かされていけば、世界は大きく変わっていきます。そんな21世紀を、みんなでつくっていきましょう。

【7月16日】池田先生の沖縄初訪問
世界を平和にする決意で

〝世界一の幸福な島に！〟――池田先生のはげましを胸に、沖縄の同志は前進しています

サンゴ礁の広がる青い海。明るい太陽と、ふきわたる風。心優しい人々。沖縄の島々は、世界のあこがれです。

1879年に「沖縄県」になるまで、ここは「琉球王国」という国でした。琉球の人々は平和を愛し、海を〝かけ橋〟にして、日本や中国、さらにアジアの国々と行き来していたのです。

昭和の時代になって、日本はアメリカやイギリスなど世界を相手に戦争を始めました。けれども、あっという間にアメリカに攻め返されて、日本が占領していた太平洋の島々や東南アジアで、日本の軍隊は敗れていきました。

1945年3月。ついに沖縄でもアメリカ軍との戦闘が始まりました。日本軍は本土を守るために、できるだけ長く沖縄での戦闘を続けようと考えていました。そのため10代の若者まで、戦場に連れていかれたのです。

沖縄の島々は、およそ3カ月にわたって戦場になり、県民の4人に1人にあたる十数万人が、ぎせいになりました。

そして、日本が敗北して戦争が終わった後も、沖縄はアメリカに占領されたままでした。

1960年7月16日。池田先生が沖縄におりたちました。先生は2カ月前の5月3日に、創価学会第3代会長になったばかりです。

この日は、日蓮大聖人が平和な社会を目指して「立正安国論」を書かれてから、ちょうど700年にあたっていました。

一番苦労した人、悲しみを味わった人が、一番幸福になっていくための信心だ――。この思いで、池田先生は、行く先々で、沖縄の学会員をはげましました。

「戦争ほど、残酷なものはない。戦争ほど、悲惨なものはない」という言葉で始まる小説『人間革命』は、1964年12月の、4回目の沖縄訪問の時に、書き始められたものです。

1972年に、ようやく沖縄は日本に返されます。1974年、7回目の訪問をした先生は、宮古や八重山といった島々にも足を運びました。先生は、はちまきをし、はっぴを着て、島の人たちといっしょに、おどりの輪に加わりました。

1977年には、恩納村に学会の沖縄研修道場ができました。そこは、かつてアメリカ軍のミサイル基地だった場所です。分厚いコンクリートのミサイル発射台が残っていました。

先生は、〝戦争のおろかさを未来に伝えるために、これは壊さずに残しておこう〟と提案しました。

1999年、沖縄平和記念墓地公園が完成し、先生は沖縄の代表と公園内の「永遠平和の碑」の前でお題目を唱えました。先生の力強い声がひびきました。

「もう二度と、沖縄に戦争はない！」

沖縄の少年少女部のみんなは、だれよりも、この先生の〝沖縄を思う心〟を受け継いでください。そして、まだ沖縄に行ったことのないみんなは、いつの日か、池田先生が世界平和への決意をこめた沖縄を、訪ねてください。

【7月】青年の月

新しい時代をつくる熱と力

仏教が生まれた地で、友情を大きく広げているインドの青年部。広宣流布は世界同時進行！

それは、戸田城聖先生が創価学会の第2代会長になって2カ月あまりがたった、1951年7月11日のことです。

東京はまだ梅雨が明けず、この日も雨がふっていました。夕方6時、そのころ西神田にあった小さな創価学会本部の2階に、およそ180人の青年たちが集まっていました。

第2代会長になった戸田先生は、広宣流布への第一歩として、この日、男子部を結成したのでした。

〝新しい時代をつくるのは、青年の熱と力だ〟というのが、戸田先生の確信でした。

世界に平和を築き、人類を幸福にしていくのが広宣流布です。それは一人の人間の一生の時間で、できることではありません。

師匠の心を受け継いだ青年たちが、

次から次へと続いていき、世界を変えていくのです。

結成式であいさつに立った戸田先生は、思いもかけない話をしました。

「今日、ここに集まられた諸君のなかから、必ずや、次の創価学会会長が現れるであろう」

「次の会長たるべきかたにごあいさつ申しあげ、男子部の結成を心からお祝い申しあげる」

会場には、まだ23歳の池田先生の姿がありました。だれも見ていないところで、戸田先生を支え続けてきたのが池田先生だったのです。

さらに8日後の7月19日には、女子部が結成されました。この日、本部に集まったのは、74人の女性たちでした。池田先生の奥様も、その中にいました。

戸田先生は語りました。

「女子部は、一人残らず幸福に。そのために清らかな強い信心で、この一生を生きぬけ！」

池田先生は青年として、日本中をかけめぐり、戸田先生と同じ心で、人々をはげましてきました。

そして、１９６０年5月3日には創価学会の第3代会長になりました。32歳の〝青年〟会長の誕生です。

池田先生もまた、だれよりも青年を信じ、青年をはげまし、育ててきました。

日本では２０２１年に、それまでの「婦人部」と「女子部」がいっしょになり、「女性部」として新しい出発をしました。

池田先生によって、創価学会は世界１９２カ国・地域に広がりました。どの国や地域でも、創価の青年たちが生き生きと活やくしています。

世界一の人口を持つインドは、仏教が生まれた国です。このインドでも、約30万人の創価学会のメンバーが誕生しています。その広がりの中心になっているのは、青年部です。

池田先生は、未来部のメンバーに語っています。

「日本の友も、世界が、全人類が、妙法という大哲学をもった諸君を待っていることを忘れないでいただきたい。世界の諸君、21世紀を万事よろしく！」

みんなも、世界の友に負けじと、挑戦と成長の日々を送っていきましょう。

【8月14日】戸田先生と池田先生が出会った日

この人なら信じられる

池田先生は、戸田先生との出会いの感動を自分で作った詩にこめて、伝えました

それは、長く続いた戦争が終わって2年後の夏のことです。池田先生は19歳の青年でした。

戦争で焼け野原になった場所が、まだあちらこちらにありました。家を失い、家族を失った人が大勢いました。

池田先生も空襲で家を焼かれ、大好きだった一番上のお兄さんは兵士になり、遠い外国で亡くなっていました。

だれもが、おなかをすかせていました。子どもたちに「この戦争は正しい」と言っていた大人は、戦争に負けるとコロッと変わって「国が悪い。自分たちはだまされていたんだ」と、言い始めました。

一体、何を信じればいいのだろう？

これからどう生きていけばいいのだろう？　正しい人生とはどういうものだろう？　池田先生はそれが知りたくて、わずかなおこづかいを貯めては、古本を買い、真けんに読んでいたのです。

昼間は働き、夜は学校で学ぶ日々が続いていました。

ある日、小学校時代の友だちが「生命について、お話を聞きに来ませんか」とさそってくれました。

明日でちょうど3年目の「終戦の日」となる1947年8月14日の夜。道路の電灯もない暗い道を歩いていくと、案内されたのは一けんの家でした。

20人ほどの人が集まっていて、奥に座ったメガネの男の人が、しわがれた声で何かを話していました。

「私はこの世から、一切の不幸と悲しみをなくしたいのです。これを広宣流布という。どうだ、いっしょにやるか！」

友だちの話では、この人が戸田城聖という人で、戦争中も正義の信念をつらぬいて牢屋に入っていたといいます。やがて、友だちが戸田先生に、池田先生のことを紹介しました。

戸田先生は、にっこりほほえんで、初めて会ったのに、「池田君は、いくつになったね？」と昔からの知り合いのようにたずねました。

池田先生が「19歳です」と答えると、戸田先生は「そうか、もうすぐ20歳だね。ぼくは19歳のときに北海道から東京へ出てきた」と教えてくれました。

池田先生がなやんでいたことを質問すると、戸田先生はスラスラと、ていねいに答えてくれました。少しも、いばったところがありません。そして、こう言いました。

「この仏法を実せんしてごらんなさい。青年じゃありませんか。必ずいつか、自然に、自分が正しい人生を歩んでいることを、いやでも発見するでしょう」

仏法の難しい話は、よくわかりませんでした。けれど、この戸田城聖という人は信じられる――池田先生は、そう感じました。

この出会いで、池田先生は戸田先生を師匠として、広宣流布に生きぬこうと決めました。

この「師弟の力」で、創価学会は世界192カ国・地域に広がったのです。

【9月8日】原水爆禁止宣言の日

核兵器を絶対にゆるさない

戸田先生が魂をこめた宣言は、現在も続く学会の平和運動の原点です

　みんなは「原爆（原子爆弾）」とか「水爆（水素爆弾）」という言葉を聞いたことがありますか。これらの兵器のことを、「核兵器」と呼んでいます。

　第2次世界大戦が続いていた1945年8月6日。アメリカ軍によって、広島市に人類で最初の原爆が落とされました。

　町の上空で爆発した瞬間の、中心の温度は数百万度。その巨大な火の玉から、すさまじい熱と爆風が広島の町をおそいました。

　爆心地（爆発の中心）近くで何千度もの熱い光をあびた人々は、いっしゅんで亡くなりました。たった1発の爆弾で、何キロも先まで、ほとんどの建物はふきとんだのです。爆発の熱でやけどした人々は、全身が焼けただれ、皮ふがはがれて、血まみれでうめいていました。それは、地獄のようなありさまでした。
８月９日には、２発目の原爆が長崎市に落とされました。その年の12月までに、広島ではおよそ14万人が、長崎ではおよそ７万４０００人が亡くなりました。生き残った人々も、やがて次々と亡くなり、何十年とたった今でも、後遺症に苦しんでいる人々がいるのです。

第２次世界大戦が終わると、ソ連（当時）やイギリスなども、次々に原子爆弾を作りました。広島に落とされた原爆の何百倍、何千倍という破壊力をもった、水爆も作られていきました。

相手の国を全滅させるだけの、たくさんの核兵器をもっておどかせば攻めてこないのではないか？ そんなおろかな考えから、何千発もの核兵器をいつでも発射できるようにする競争が始まっていたのです。

１９５７年９月８日。横浜の三ツ沢にある競技場で、創価学会青年部の行事が行われました。あいさつに立った第２代会長の戸田城聖先生は、次のように青年たちに呼びかけました。

「われわれ世界の民衆は、生きる権利をもっている。この権利をおびやかすものは魔物である。絶対にゆるしてはならない。原水爆を、この私の考えを全世界に広めてもらいたい！」

この戸田先生の「原水爆禁止宣言」を出発点として、第３代会長になった池田先生は、世界平和への道を切りひらいてきました。

核兵器をなくそうという民衆の声を強くし、核兵器の本当のおそろしさを、世界のリーダーと人々に、教えていかなければいけない。

先生は、世界各国のリーダーと対話を続けてきました。また、核兵器のおそろしさを伝える展示を、ニューヨークの国連本部など世界各国で開きました。

創価学会とともに核兵器をなくす取り組みをしてきたＩＣＡＮという団体は、２０１７年にノーベル平和賞を受賞。授賞式には学会の代表も招かれました。

21世紀のうちに、この世界から核兵器をなくすこと。その池田先生からのバトンを、みんなが受け継いでいってください。

【 9月23日 】少年少女部の結成記念日
一人一人が大樹になれる

池田先生から教わった「ししの心」を胸に、社会で活やくしている学会員がたくさんいます

見上げるような巨木。緑豊かな木々がおいしげる森。そんな景色を、実際に、あるいは映画や本の中で、みんなもきっと見たことがあるでしょう。

しかし、それら森の木々も、最初から大きな木だったわけではありません。

どんな木も、ひとつぶの種から生まれます。風や鳥や動物たちが種を運ぶこともあれば、人間の手で小さな「苗木」が育てられ、それが山に植えられることもあります。

そこから30年、40年、50年と、長い時間をかけて、木々はたくましく成長し、豊かな深い森を形づくっていくのです。

人間も同じです。赤ちゃんがいきなり大人になることはありません。長い時間をかけて、学び、自分をきたえ、友情を広げ、いくつもの困難を乗りこえて、力ある人間ができあがっていくのです。

それは、第2代会長の戸田城聖先生が亡くなってから7年目の節目となる1964年4月のことでした。

池田先生は、創価学会がいよいよ「本門の時代」に入ったと語りました。仏法という大地の上に、平和・文化の美しい花々をさかせていく時代のことです。

「あらゆる分野で一流のリーダーに育ち、民衆の幸福のために自在に指揮をとり、社会に大きくこうけんしていく時代」に入ったのだと、池田先生は語りました。

世界のあらゆる民衆の幸福のため。人々が生きる社会をすばらしいものにしていくため。有名でも無名でもかまわない。そのための一流のリーダーに育っていくための信心なのです。

森に木を植えるように、少年少女たちを大切に育てていこう——。先生は、1964年6月に高等部を結成し、翌65年1月には中等部を結成しました。

そして、1965年9月23日には少年部（当時）が結成され、この日が「少年少女部の結成記念日」となったのです。

池田先生は語りました。

「苗を植えなければ、木は育たない。大樹が必要な時になって苗を植えても、手遅れだ」

「私が、今やっていることの意味は、30年後、40年後に明確になります」

先生が語った通り、先生が全力ではげまし育ててきた少年少女部員たちは、30年、40年という時間をへて、立派な〝大樹〟へと成長しました。

日本中、世界中で、社会のあらゆるところに、少年少女部出身のリーダーたちが何十万人、何百万人と育っていったのです。

今もまた同じです。みんなは地球の未来のために、池田先生が植えた、大切な「苗木」です。

今は、苦手なこと、つらいこと、思うようにいかないことがあっても大丈夫です。その全部を力に変えていけるのが仏法です。

やがて21世紀の後半には、みんなが池田先生の心を受け継いで、世界で活やくする時代がやってきます。

【10月2日】世界平和の日

「君の本当の舞台は世界だよ」

戸田先生の思いを受け継いだ池田先生。師匠と心を一つに世界中をめぐってきました

それは、戸田城聖先生が亡くなる少し前。1958年3月の終わりころでした。

創価学会の第2代会長に就任した時に誓った通り、会員75万世帯という日本の広宣流布の土台を完成させた戸田先生。このころはもう、布団の中で休んでいることがほとんどでした。それでも、池田先生を枕もとに呼んでは、さまざまなことを話し合っていました。

ある朝、池田先生が行くと、戸田先生は布団の中から、笑顔で語りかけてきました。

「大作。きのうは、メキシコへ行った夢を見たよ」

「まっていた。みんな、まっていたよ。日蓮大聖人の仏法を求めてな。行きたいな、世界へ。広宣流布の旅に……」

「大作、世界が相手だ。君の本当の舞台は世界だよ。世界は広いぞ」

　そして、池田先生の手をにぎって言いました。

「生きろ。うんと生きるんだぞ。そして、世界にゆくんだ」

　戸田先生が亡くなったのは、4月2日のことです。


　日蓮大聖人の仏法は、世界のすべての人々のための仏法です。人類の幸福と、世界平和のための仏法です。

　戸田先生が亡くなって2年後の、1960年5月。池田先生が第3代会長に就任しました。

　日本で最初のジェット旅客機が、東京からアメリカのハワイ、サンフランシスコを結んで飛ぶようになったのは、この年の8月です。

　そして10月2日。池田先生は、羽田空港で見送る人々に手をふりながら、ジェット旅客機に乗りこみました。

　池田先生の胸ポケットには、戸田先生の写真がありました。出発を「2日」にしたのも、戸田先生の命日に合わせたからです。

　池田先生は、戸田先生から「広宣流布」「世界平和」のバトンを受け継いで、出発したのでした。


　最初の訪問地はハワイのホノルル。ここで、海外で初めての「地区」を結成します。そして、アメリカ本土のサンフランシスコにわたり、カナダ、ブラジルと、3カ国9都市をめぐって、各地で「地区」「支部」が結成されていきました。

　言葉も文化も習慣も、それぞれちがう世界の国々で、どうすれば仏法が理解されていくか。どうすれば、全人類の平和と幸福の道をひらいていけるのか。

　池田先生は、ある時は一人の少女を、少年をはげまし、ある時は大学で講演し、ある時は大統領や国王と会って、人類の未来のために語り合いました。

　今、創価の連帯は、世界192カ国・地域にまで広がっています。365日、24時間、いっしゅんもとぎれることなく、この地球を学会員の題目がつつむ時代になりました。

　池田先生がひらいてきた「世界平和」の道。〝ししの子〟として先生のバトンを受け継ぐみんなの舞台も、また「世界」なのです。

【10月18日】民主音楽協会(民音)が創立された日

音楽で世界の人々の心を結ぶ

バディーニ総裁らと結んできた友情が、歴史的なミラノ・スカラ座の来日へと結実しました

1961年、池田先生が初めて、アジア各地を訪問した時のことでした。

いくつもの国を回る中で、先生は、〝平和を築くためには何が大切なのだろうか〟と、思いをめぐらせていました。そのためには、それぞれの国の人々が交流し、おたがいの文化を理解し、尊敬し合うことだ。先生は、そう考えました。

そのころはまだ、海外の一流のオーケストラの演奏会やオペラ（音楽劇）、バレエの公演が日本で開かれる数も少なく、チケットの値段は高かったのです。

戸田城聖先生は、いつも池田先生たち青年に「文学も音楽も一流のものにふれなさい」と教えていました。

日本のしょ民が、世界の一流の音楽や舞台に、もっとふれられるようにしてあげたい。そのための音楽鑑賞団体をつくろう――。アジアを旅する池田先生の胸の中で、未来への大きな構想が広がっていました。

それから2年がたった1963年10月18日、池田先生が創立者となって、ついに民主音楽協会（民音）が誕生しました。

音楽を民衆の手に取りもどし、豊かな文化を育み、音楽で世界の人々の心を結んでいく。

次の年から東京で始まった民音の「都民コンサート」は、その後759回続けられました。海外の一流の音楽家やバレエの日本公演も始まりました。

同時に、音楽家や指揮者を育てていくためのコンクールにも、民音は取り組むようになりました。アジアやアフリカの舞踊団、南米アルゼンチンのタンゴなどの公演も、日本各地で開さいしました。

なかなか生の音楽にふれることの少ない、地方の小中学生のために、学校コンサートも4600校以上で行ってきました。

1981年には、イタリアが世界に誇るオペラの殿堂「ミラノ・スカラ座」の日本公演が実現します。

世界の最高ほうのオペラを日本の人たちに見せてあげたい。池田先生は早くからそう考え、真けんにねばり強く、実現に向けて取り組んできたのです。

スカラ座のオペラを丸ごと日本に招くなど、だれもが不可能だと思っていました。「民音にできるわけがない」と笑う人もいました。

そのミラノ・スカラ座から、舞台セット、衣装、オペラ歌手、オーケストラ、コーラス、スタッフ、料理人まで500人近く、建物以外のすべてが日本にやってきたのです。

日本の音楽関係者やオペラファンにとっては、信じられない夢のようなできごとでした。

スカラ座のバディーニ総裁（当時）は語っています。

「この公演は、池田先生の力がなければ、実現しなかったでしょう」

音楽の力で世界を結び続けている民音。これまで100を超える国・地域に交流を広げ、世界一の音楽文化団体へと発展しています。みんなもいつか、民音の公演に足を運んでみてください。

【11月18日】創価学会の創立記念日
みなさんこそ私の希望

〝一人も残らず幸せになってほしい〟――これが創価の三代の先生たちの共通の願いです

牧口常三郎先生は、いくつもの小学校の校長を務めた教育者でした。

教育は、子どもたちが一人残らず幸せになるためにある。これが牧口先生の考えでした。「幸せ」とは、たとえ何があろうとも負けないことなのです。だれの中にも、その〝何があっても負けない力〟〝幸せになっていく力〟があると、牧口先生は信じていました。

この考え方を、本にまとめて人々に広めたい――。

「よし、先生、やりましょう」

こう言ったのは、弟子の戸田城聖先生でした。二人で話し合い、牧口先生の考え方を「創価教育」と呼ぶことも決まりました。

こうして、1930年11月18日に『創価教育学体系』と名づけられた本の第1巻が生まれました。そして、この日が、創価教育学会の創立の日となったのです。創価教育学会の初代会長は、牧口先生です。

牧口先生と戸田先生の思いは、さらに大きく深くなっていきました。すべての人々が幸せになっていく道を開いていきたい。その一番の根本は、日蓮大聖人の仏法だ――牧口先生と戸田先生はそう考え、仏法をひろめることを決意しました。

このころ、日本は戦争への道を突き進んでいました。牧口先生と戸田先生は、信念をつらぬいたことで、たいほされます。

牧口先生は、牢屋の中で亡くなりました。それは１９４４年の、創立記念日と同じ11月18日の朝のことでした。

生きて牢屋を出た戸田先生は、会の名前を創価学会と改めました。

第２代会長となった戸田先生は、戦争によって、不幸のどん底で苦しんでいた人々を、抱きかかえるように、はげましぬきました。その戸田先生を、同じ決意で、そばでいつも支えていたのが、若き池田先生でした。

第３代会長として、戸田先生の後を継いだのが池田先生です。

池田先生は、初代・２代の師匠の夢であった「創価教育」の学びやを、ようち園から大学院までつくりました。海外にも、ようち園やブラジル創価学園、アメリカ創価大学をつくりました。

人類の平和と幸福のために、世界各国のリーダーたちと対話し、友情を結んできました。また、創価の三代の会長と同じ心で生きる人々を、青年を、世界中に育ててきました。今、創価の連帯は１９２カ国・地域に広がっています。

２０３０年は、いよいよ創価学会の創立１００周年になります。少年少女部のみんなは、池田先生の心を受け継いで、この１００周年から、さらに次の１００年への未来を開いていく、大切な使命のある一人一人なのです。

池田先生は語っています。

「私は勝った。私の人生は、誇りある勝利でかざることができた。あとは、この栄光の道に、若きみなさんがさらに続いてくれることを祈り、信じ、待つのみです。それだけが私の希望なのです」

【12月2日】小説『人間革命』を書き始めた日

平和への夜明けの物語

執筆を続ける池田先生と、それを支えてきた奥様。先生の小説は、勇気と希望がわく源です

恩師・戸田城聖先生の真実の姿を、いつか書き残さなければならない――。池田先生は若き日から、そう決意していました。

戦争中、牧口常三郎先生と戸田先生は、正義をつらぬいたために牢屋に入れられ、牧口先生は牢屋の中で亡くなりました。

生きて牢屋を出た戸田先生は、戦争の焼け野原に一人立ち、「平和」への戦いを始めたのです。それは、戦争の苦しみをくり返してきた人類の歴史を、幸福と平和へと転換していく〝夜明け〟でした。

この戸田先生が一人立ち上がったところから、今では世界192カ国・地域に広がる、創価のスクラムができあがりました。一人の決意と行動は、世界を変える力を持っているのです。

1964年12月2日の朝、池田先生は、学会の沖縄本部（当時）の2階の和室で、原こう用紙に向かっていました。沖縄は戦争で20万人をこす人々が命を落としたところです。住民の4人に1人が亡くなったといわれています。

戦争から平和へ。池田先生は、戸田先生の歩みをつづった小説『人間革命』の最初の原こうを、沖縄で書こうと決めていたのです。

「人間革命」という言葉の意味について、先生は未来部の代表にこう語っています。

「人間が少しずつ、年とともに成長するのは自然の流れです。それを一歩こえて、急速に善の方向に変わっていくのが〝人間革命〟です。どんどん、よくなる。また一生涯、永遠に、成長していける。〝ここまで〟という行きづまりがない。そのためのエンジンとなり、原動力となるのが信仰です」

小説『人間革命』は、1965年の1月1日から、「聖教新聞」で連載が始まります。

1年365日、休むことなく日本中、世界中の人々にはげましをおくる先生の日々。いくつもの行事や会合に出席し、世界のリーダーたちと会う中で、小説を書くことは大変な仕事でした。ほかにも多くの本を書かなくてはなりません。

先生は、いつも原こう用紙を用意して、会合と会合の間の、わずかな時間を見つけては、ペンを走らせました。隣で、奥様が原こう用紙のインクを急いでかわかすのです。

高い熱が出て、ペンを持つことさえできない日もありました。そんな時は、先生が話したことを録音して、聖教新聞の担当者にわたしました。また、奥様が先生の話を原こう用紙に書き写すこともありました。

こうして28年かけて、全12巻の『人間革命』ができあがりました。その後、先生はさらに25年かけて、ご自分が第3代会長となってからの歩みをつづった、全30巻の『新・人間革命』を2018年に完成させます。

今、この『人間革命』と『新・人間革命』は、いくつもの言葉にほん訳されて、読まれています。創価三代の人間革命のドラマに、自分も続こうという決意が世界に広がっているのです。

年表・広布史たんけんたい

この本でとりあげた出来事を中心に、年表にまとめました。

西暦	日付	学会のできごと	書かれているページ
1871年	6月6日	牧口常三郎先生が生まれる	70 ページ
1900年	2月11日	戸田城聖先生が生まれる	58 ページ
1903年		牧口先生が『人生地理学』を出版	71 ページ
1928年	1月2日	池田大作先生が生まれる	55 ページ
1930年	11月18日	牧口先生・戸田先生が「創価教育学会」を創立、『創価教育学体系』を出版	71 ページ 88 ページ
1943年	7月6日	牧口先生と戸田先生がたいほされる	59 ページ 71 ページ
1944年	11月18日	牧口先生がご逝去	71 ページ 89 ページ
1945年	7月3日	戸田先生が牢屋から出る	59 ページ
1947年	8月14日	戸田先生と池田先生が初めて出会う	79 ページ
1950年	8月24日	戸田先生と池田先生が「聖教新聞」をつくることを語り合う	65 ページ
1951年	4月20日	「聖教新聞」が創刊される	65 ページ
	5月3日	戸田先生が第２代会長になる	66 ページ
	6月10日	戸田先生が婦人会員の代表と会食〈婦人部結成記念日〉	72 ページ
	7月11日	男子部結成記念日	76 ページ
	7月19日	女子部結成記念日	77 ページ

西暦	日付	学会のできごと	書かれているページ
1957年	9月8日	戸田先生が「原水爆禁止宣言」を発表	81ページ
	12月	創価学会の世帯数が75万を超える	61ページ
1958年	3月16日	広宣流布の記念式典が開かれる	61ページ
	4月2日	戸田先生がご逝去	63ページ 85ページ
1960年	5月3日	池田先生が第3代会長になる	67ページ 77ページ 85ページ
	7月16日	池田先生が沖縄を初訪問	75ページ
	10月2日	池田先生が羽田空港から海外指導へ出発〈世界平和の日〉	85ページ
1963年	10月18日	民主音楽協会（民音）が誕生	87ページ
1964年	6月7日	高等部が結成される	83ページ
	12月2日	池田先生が沖縄で小説『人間革命』の執筆を開始	75ページ 91ページ
1965年	1月15日	中等部が結成される	83ページ
	9月23日	少年部（のちの少年少女部）が結成される	8ページ 83ページ
1966年	5月5日	少年部（のちの少年少女部）に合唱団がつくられる	11ページ
1967年	10月15日	創価学会の文化祭に松下幸之助さんが来ひんとして出席	39ページ

西暦	日付	学会のできごと	書かれているページ
1968年	9月8日	池田先生が日中国交正常化提言を発表	37 ページ
1970年		作文コンクールがスタート	15 ページ
1971年	4月2日	創価大学が開学	63 ページ
1974年	12月5日	池田先生が周恩来総理と会見	37 ページ
1975年	1月10日	核兵器廃絶を求める 1000 万人の署名を国連に提出	49 ページ
	1月26日	S GI（創価学会インタナショナル）が発足	57 ページ
1976年	5月5日	「創価学会後継者の日」が制定される	69 ページ
1977年	2月	沖縄県・恩納村に、沖縄研修道場ができる	75 ページ
1981年	7月1日	世界芸術文化アカデミーが池田先生に「桂冠詩人」の称号をおくる	19 ページ
	9月	ミラノ・スカラ座が日本で初公演	87 ページ
1985年		少年部（のちの少年少女部）の第1回絵画展が開さい	12 ページ
1987年	2月24日	池田先生がライナス・ポーリング博士と会う	41 ページ
1988年	4月27日	池田先生が5月3日を「創価学会母の日」とすることを提案	67 ページ

西暦	日付	学会のできごと	書かれているページ
1989年	8月24日	衛星通信システムによる行事中継がスタート	23 ページ
1990年	7月27日	池田先生がゴルバチョフ大統領と会う	43 ページ
1991年	9月26日	池田先生がハーバード大学で講演「ソフト・パワーの時代と哲学」	44 ページ
1993年	1月30日	池田先生がローザ・パークスさんと会う	47 ページ
	9月24日	池田先生がハーバード大学で講演「21 世紀文明と大乗仏教」	45 ページ
2003年	3月19日	池田先生がチョウドリ博士と会う	49 ページ
2005年	2月18日	池田先生がマータイ博士と会う	51 ページ
2011年	3月16日	池田先生が東日本大震災に際し、聖教新聞にメッセージを寄せる	33 ページ
2013年	11月5日	「広宣流布大誓堂」が完成	
2018年	9月8日	小説『新・人間革命』の連載が完結	91 ページ
2019年	11月18日	「世界聖教会館」が開館	65 ページ
2021年	11月18日	「女性部」が新出発	73 ページ 77 ページ
2023年	11月15日	池田先生がご逝去	
2023年	11月18日	「広宣流布大誓堂」完成10周年となる 創立記念日をむかえる	

広布史(こうふし)たんけんたい

2024年3月16日　初版第1刷発行

編　者　少年少女(しょうねんしょうじょ)きぼう新聞編集部(しんぶんへんしゅうぶ)
発行者　松本義治
発行所　株式会社　第三文明社
東京都新宿区新宿1-23-5　〒160-0022
電話番号　03 (5269) 7144 (営業代表)
03 (5269) 7145 (注文専用)
03 (5269) 7154 (編集代表)
振替口座　00150-3-117823
URL　https://www.daisanbunmei.co.jp/
印刷・製本　藤原印刷株式会社

ISBN 978-4-476-06256-4